biblio

Le Tour du monde en quatre-vingts jours

Texte conforme à l'édition originale de J. Hetzel
Illustrations de l'édition originale de J. Hetzel :
dessins de Messieurs De Neuville et Benett

Jules Verne

Notes, questionnaires et dossier Bibliocollège
par Marina GHELBER,
professeur en collège

Crédits photographiques

pp. 4, 5, 7, 10, 49, 51, 58, 70, 75, 81, 91, 103, 111, 114, 119, 142, 145, 158 :
© Hachette Livre. p. 163 : © Photothèque Hachette Livre.

Conception graphique

Couverture : *Laurent Carré*

Intérieur : *ELSE*

Édition

Marie Mazas

Mise en page

MCP

Illustration des questionnaires

Harvey Stevenson

Dossier pédagogique téléchargeable gratuitement sur :
www.biblio-hachette.com

ISBN : 978-2-01-281416-5

Sommaire

Frontispice de l'édition originale de 1873 : les différents moyens de locomotion utilisés par Phileas Fogg et Passepartout dans leurs aventures.

Introduction

Le nom de Jules Verne est naturellement associé à la naissance d'un genre littéraire qu'on a appelé par la suite « science-fiction ». En effet, son esprit visionnaire aura permis à ses contemporains d'accomplir, en imagination, de véritables voyages dans le futur, des exploits que les avancées de la science de l'époque ne les autorisaient pas encore à réaliser dans la réalité : voyager sous la Terre, s'élever vers la Lune, voler en ballon... C'est le cas de la plupart de ses ouvrages, regroupés sous le titre de *Voyages extraordinaires*.

Mais *Le Tour du monde en quatre-vingts jours* fait exception à cette règle : aucune échappée fantastique, aucune « machine extraordinaire ». L'auteur reste ancré dans le présent – celui du XIXe siècle –, où le moteur à vapeur est en train de supplanter la navigation à la voile, où l'ouverture récente du canal de Suez raccourcit les distances et où le tout nouveau chemin de fer s'ouvre difficile-

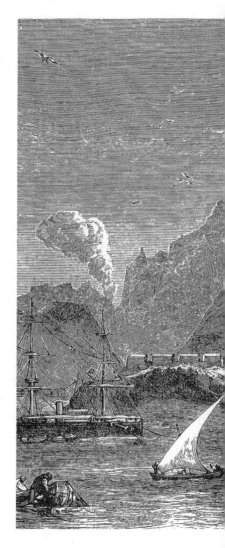

ment une voie à travers les plaines du grand Ouest américain.

L'histoire est des plus simples : le 2 octobre 1872, à la suite d'un pari fait avec ses collègues du Reform-Club, Phileas Fogg, gentleman flegmatique et maniaque de la ponctualité, s'apprête à quitter sa très britannique demeure de Saville-row, afin d'entreprendre, avec son fidèle domestique Passepartout, un tour du monde en quatre-vingts jours, véritable exploit pour l'époque.

Si, pour une fois, l'auteur ne met pas en œuvre ce mélange de science, de technique et de fantastique, *Le Tour du monde en quatre-vingts jours* n'est pas moins l'un des romans les plus lus de Jules Verne car, sous l'apparence du carnet de voyage, il cache bien d'autres facettes, qui font sa richesse et justifient sa popularité.

Maîtrisant parfaitement l'art du récit, Jules Verne réalise d'abord un excellent roman d'aventures, qui attire et captive son lecteur. Pour dépayser celui-ci, Jules Verne lui offre un tour du plus vaste empire colonial de l'époque, l'Empire britannique, ainsi qu'un aperçu de ce Nouveau Monde que des Européens audacieux ont fondé de l'autre côté de l'océan.

Pour corser l'aventure, la poursuite policière de l'inspecteur Fix maintient le suspense jusqu'au bout du voyage.

Enfin, l'auteur y glisse un soupçon de romantisme avec la charmante Mrs. Aouda.

Pour le lecteur du XXIe siècle, l'attrait reste entier, cette lecture fournissant toujours l'occasion de réaliser, sans quitter son fauteuil, un fabuleux périple où paysages et coutumes exotiques se mélangent en un chatoyant tourbillon.

Chapitre I[1]

En l'année 1872, la maison portant le numéro 7 de Saville-row, Burlington Gardens − maison dans laquelle Sheridan mourut en 1814 −, était habitée par Phileas Fogg, esq.[2], l'un des membres les plus singuliers[3] et les plus remarqués
5   du Reform-Club[4] de Londres, bien qu'il semblât prendre à tâche[5] de ne rien faire qui pût attirer l'attention.

À l'un des plus grands orateurs qui honorent l'Angleterre, succédait donc ce Phileas Fogg, personnage énigmatique, dont on ne savait rien, sinon que c'était un fort galant

notes

1. Le numéro de chapitre correspond à celui de l'édition originale du texte de Jules Verne.
2. esq. : abréviation d'« esquire », terme honorifique dont on fait suivre le nom de famille

des Anglais sans titre de noblesse, sur l'enveloppe des lettres.
3. singuliers : qui se distinguent des autres.
4. Reform-Club : cercle où des habitués (membres)

viennent passer leurs heures de loisir, pour bavarder, jouer, lire.
5. prendre à tâche : s'appliquer à.

10 homme et l'un des plus beaux gentlemen[1] de la haute société anglaise.

On disait qu'il ressemblait à Byron[2] – par la tête, car il était irréprochable quant aux pieds –, mais un Byron à moustaches et à favoris[3], un Byron impassible, qui aurait vécu mille
15 ans sans vieillir.

Anglais, à coup sûr, Phileas Fogg n'était peut-être pas Londonner[4]. On ne l'avait jamais vu ni à la Bourse, ni à la Banque, ni dans aucun des comptoirs[5] de la Cité. Ni les bassins ni les docks[6] de Londres n'avaient jamais reçu
20 un navire ayant pour armateur[7] Phileas Fogg. Ce gentleman ne figurait dans aucun comité d'administration. Son nom n'avait jamais retenti dans un collège d'avocats, ni au Temple, ni à Lincoln's-inn, ni à Gray's-inn[8]. Jamais il ne plaida ni à la Cour du chancelier, ni au Banc
25 de la Reine, ni à l'Échiquier, ni en Cour ecclésiastique[9]. Il n'était ni industriel, ni négociant, ni marchand, ni agriculteur. Il ne faisait partie ni de l'*Institution royale de la Grande-Bretagne*, ni de l'*Institution de Londres*, ni de l'*Institution des Artisans*, ni de l'*Institution Russel*, ni de l'*Institution littéraire*
30 *de l'Ouest*, ni de l'*Institution du Droit*, ni de cette *Institution des Arts et des Sciences réunis*, qui est placée sous le patronage direct de Sa Gracieuse Majesté[10]. Il n'appartenait enfin

notes

1. gentlemen : hommes distingués, d'une parfaite éducation.
2. Byron : poète romantique britannique.
3. favoris : touffe de poils qu'un homme laisse pousser sur la joue, de chaque côté du visage.
4. Londonner : habitant de Londres.

5. comptoirs : agences bancaires.
6. docks : vastes bassins entourés de quais, destinés au chargement et au déchargement des navires.
7. armateur : personne qui livre à l'exploitation commerciale d'un navire.
8. Temple, Lincoln's- inn, Gray's- inn : quartiers de

Londres où sont établis les cabinets d'avocats.
9. Cour du chancelier, Banc de la Reine, l'Échiquier, Cour ecclésiastique : tribunaux anglais.
10. Sa Gracieuse Majesté : la reine d'Angleterre.

à aucune des nombreuses sociétés qui pullulent dans la capitale de l'Angleterre, depuis la *Société de l'Armonica* jusqu'à
35 la *Société entomologique*[1], fondée principalement dans le but de détruire les insectes nuisibles.

Phileas Fogg était membre du Reform-Club, et voilà tout.

À qui s'étonnerait de ce qu'un gentleman aussi mystérieux comptât parmi les membres de cette honorable association,
40 on répondra qu'il passa sur la recommandation de MM. Baring frères, chez lesquels il avait un crédit ouvert. De là une certaine « surface[2] », due à ce que ses chèques étaient régulièrement payés à vue par le débit de son compte courant invariablement créditeur.

45 Ce Phileas Fogg était-il riche ? Incontestablement. Mais comment il avait fait fortune, c'est ce que les mieux informés ne pouvaient dire, et Mr. Fogg était le dernier auquel il convînt de s'adresser pour l'apprendre. En tout cas, il n'était prodigue[3] de rien, mais non avare, car partout
50 où il manquait un appoint[4] pour une chose noble, utile ou généreuse, il l'apportait silencieusement et même anonymement.

En somme, rien de moins communicatif que ce gentleman. Il parlait aussi peu que possible, et semblait d'autant
55 plus mystérieux qu'il était silencieux. Cependant sa vie était à jour, mais ce qu'il faisait était si mathématiquement toujours la même chose, que l'imagination, mécontente, cherchait au-delà.

Avait-il voyagé ? C'était probable, car personne ne possédait[5] mieux que lui la carte du monde. Il n'était endroit
60

notes

1. entomologique :
qui s'occupe de l'étude
des insectes.

2. « surface » (financière) :
aisance matérielle, fortune.
3. prodigue : dépensier.

4. appoint : complément
d'une somme.
5. possédait : connaissait.

Phileas Fogg.

si reculé dont il ne parût avoir une connaissance spéciale. Quelquefois, mais en peu de mots, brefs et clairs, il redressait les mille propos qui circulaient dans le club au sujet des voyageurs perdus ou égarés ; il indiquait les vraies probabi-
65 lités, et ses paroles s'étaient trouvées souvent comme inspi-rées par une seconde vue, tant l'événement finissait toujours par les justifier. C'était un homme qui avait dû voyager partout, – en esprit, tout au moins.

Ce qui était certain toutefois, c'est que, depuis de longues
70 années, Phileas Fogg n'avait pas quitté Londres. Ceux qui avaient l'honneur de le connaître un peu plus que les autres attestaient que – si ce n'est sur ce chemin direct qu'il par-courait chaque jour pour venir de sa maison au club – personne ne pouvait prétendre l'avoir jamais vu ailleurs.
75 Son seul passe-temps était de lire les journaux et de jouer au whist[1]. À ce jeu du silence, si bien approprié à sa nature, il gagnait souvent, mais ses gains n'entraient jamais dans sa bourse et figuraient pour une somme importante à son budget de charité. D'ailleurs, il faut le remarquer, Mr. Fogg
80 jouait évidemment pour jouer, non pour gagner. Le jeu était pour lui un combat, une lutte contre une difficulté, mais une lutte sans mouvement, sans déplacement, sans fatigue, et cela allait à son caractère.

On ne connaissait à Phileas Fogg ni femme ni enfants
85 – ce qui peut arriver aux gens les plus honnêtes – ni parents ni amis, – ce qui est plus rare en vérité. Phileas Fogg vivait seul dans sa maison de Saville-row, où personne ne péné-trait. De son intérieur, jamais il n'était question. Un seul domestique suffisait à le servir. Déjeunant, dînant au club

note

1. whist : jeu de cartes, ancêtre du bridge.

90 à des heures chronométriquement déterminées, dans la même salle, à la même table, ne traitant[1] point ses collègues, n'invitant aucun étranger, il ne rentrait chez lui que pour se coucher, à minuit précis, sans jamais user de ces chambres confortables que le Reform-Club tient à la dispo-
95 sition des membres du cercle. Sur vingt-quatre heures, il en passait dix à son domicile, soit qu'il dormît, soit qu'il s'occupât de sa toilette. S'il se promenait, c'était invariablement, d'un pas égal, dans la salle d'entrée parquetée en marqueterie[2], ou sur la galerie circulaire, au-dessus
100 de laquelle s'arrondit un dôme[3] à vitraux bleus, que supportent vingt colonnes ioniques[4] en porphyre[5] rouge. S'il dînait ou déjeunait, c'étaient les cuisines, le garde-manger, l'office, la poissonnerie, la laiterie du club, qui fournissaient à sa table leurs succulentes réserves ; c'étaient les domestiques du club,
105 graves personnages en habit noir, chaussés de souliers à semelles de molleton[6], qui le servaient dans une porcelaine spéciale et sur un admirable linge en toile de Saxe ; c'étaient les cristaux à moule perdu[7] du club qui contenaient son sherry, son porto ou son claret[8] mélangé de cannelle,
110 de capillaire et de cinnamome[9] ; c'était enfin la glace du club – glace venue à grands frais des lacs d'Amérique – qui entretenait ses boissons dans un satisfaisant état de fraîcheur.

Si vivre dans ces conditions, c'est être un excentrique[10], il faut convenir que l'excentricité a du bon !

notes

1. traitant : invitant.
2. marqueterie : assemblage décoratif de pièces de bois précieux.
3. dôme : toit élevé de forme arrondie.
4. ioniques : le style ionique est un style architectural de l'Antiquité grecque,

caractérisé par un chapiteau orné de deux volutes latérales.
5. porphyre : roche volcanique rouge.
6. molleton : tissu de laine épais qui amortit le bruit.
7. cristaux à moule perdu : carafes en cristal.

8. sherry, claret : boissons alcoolisées.
9. capillaire, cinnamome : ingrédients qu'on mélangeait dans les boissons pour en relever le goût.
10. excentrique : original.

¹¹⁵ La maison de Saville-row, sans être somptueuse, se recommandait par un extrême confort. D'ailleurs, avec les habitudes invariables du locataire, le service s'y réduisait à peu. Toutefois Phileas Fogg exigeait de son unique domestique une ponctualité, une régularité extraordinaires. Ce jour-là

¹²⁰ même, 2 octobre, Phileas Fogg avait donné congé à James Forster – ce garçon s'étant rendu coupable de lui avoir apporté pour sa barbe de l'eau à quatre-vingt-quatre degrés Fahrenheit[1] au lieu de quatre-vingt-six –, et il attendait son successeur, qui devait se présenter entre onze heures et onze

¹²⁵ heures et demie.

Phileas Fogg, carrément assis dans son fauteuil, les deux pieds rapprochés comme ceux d'un soldat à la parade, les mains appuyées sur les genoux, le corps droit, la tête haute, regardait marcher l'aiguille de la pendule, – appa-

¹³⁰ reil compliqué qui indiquait les heures, les minutes, les secondes, les jours, les quantièmes[2] et l'année. À onze heures et demie sonnant, Mr. Fogg devait, suivant sa quotidienne habitude, quitter la maison et se rendre au Reform-Club.

¹³⁵ En ce moment, on frappa à la porte du petit salon dans lequel se tenait Phileas Fogg.

James Forster, le congédié, apparut.

« Le nouveau domestique », dit-il.

Un garçon âgé d'une trentaine d'années se montra et salua.

¹⁴⁰ « Vous êtes Français et vous vous nommez John ? lui demanda Phileas Fogg.

– Jean, n'en déplaise à monsieur, répondit le nouveau venu, Jean Passepartout, un surnom qui m'est resté, et que

notes

1. Fahrenheit : physicien allemand, qui définit la première échelle

thermométrique, encore utilisée dans les pays anglo-saxons.

2. quantièmes : jours de l'année désignés par leur chiffre.

justifiait mon aptitude naturelle à me tirer d'affaire. Je crois
145 être un honnête garçon, monsieur, mais, pour être franc, j'ai
fait plusieurs métiers. J'ai été chanteur ambulant, écuyer
dans un cirque, faisant de la voltige comme Léotard,
et dansant sur la corde comme Blondin ; puis je suis devenu
professeur de gymnastique, afin de rendre mes talents plus
150 utiles, et, en dernier lieu, j'étais sergent de pompiers, à Paris.
J'ai même dans mon dossier des incendies remarquables.
Mais voilà cinq ans que j'ai quitté la France et que, voulant
goûter de la vie de famille, je suis valet de chambre
en Angleterre. Or, me trouvant sans place et ayant appris
155 que M. Phileas Fogg était l'homme le plus exact et le plus
sédentaire[1] du Royaume-Uni, je me suis présenté chez
monsieur avec l'espérance d'y vivre tranquille et d'oublier
jusqu'à ce nom de Passepartout...

– Passepartout me convient, répondit le gentleman. Vous
160 m'êtes recommandé. J'ai de bons renseignements sur votre
compte. Vous connaissez mes conditions ?

– Oui, monsieur.

– Bien. Quelle heure avez-vous ?

– Onze heures vingt-deux, répondit Passepartout,
165 en tirant des profondeurs de son gousset[2] une énorme
montre d'argent.

– Vous retardez, dit Mr. Fogg.

– Que monsieur me pardonne, mais c'est impossible.

– Vous retardez de quatre minutes. N'importe. Il suffit
170 de constater l'écart. Donc, à partir de ce moment, onze
heures vingt-neuf du matin, ce mercredi 2 octobre 1872,
vous êtes à mon service. »

notes

1. sédentaire : qui ne quitte
guère son domicile.

2. gousset : petite poche de
gilet ou de pantalon.

Cela dit, Phileas Fogg se leva, prit son chapeau de la main gauche, le plaça sur sa tête avec un mouvement d'automate et disparut sans ajouter une parole.

Passepartout entendit la porte de la rue se fermer une première fois : c'était son nouveau maître qui sortait ; puis une seconde fois : c'était son prédécesseur, James Forster, qui s'en allait à son tour.

Passepartout demeura seul dans la maison de Saville-row.

Chapitre II

« Sur ma foi, se dit Passepartout, un peu ahuri tout d'abord, j'ai connu chez Mme Tussaud des bonshommes aussi vivants que mon nouveau maître ! »

Il convient de dire ici que les « bonshommes » de Mme Tussaud sont des figures de cire, fort visitées à Londres, et auxquelles il ne manque vraiment que la parole.

Pendant les quelques instants qu'il venait d'entrevoir Phileas Fogg, Passepartout avait rapidement, mais soigneusement, examiné son futur maître. C'était un homme qui pouvait avoir quarante ans, de figure noble et belle, haut de taille, que ne déparait[1] pas un léger embonpoint, blond de cheveux et de favoris, front uni sans apparence de rides aux tempes, figure plutôt pâle que colorée, dents magnifiques. Il paraissait posséder au plus haut degré ce que les physionomistes[2] appellent « le repos dans l'action », faculté commune à tous ceux qui font plus de besogne que de bruit.

notes

1. *déparait :* enlaidissait.

2. *physionomistes :* personnes qui savent juger du caractère de quelqu'un d'après son visage.

Calme, flegmatique[1], l'œil pur, la paupière immobile, c'était le type achevé de ces Anglais à sang-froid qui se rencontrent assez fréquemment dans le Royaume-Uni, et dont Angelica Kauffmann[2] a merveilleusement rendu sous son pinceau l'attitude un peu académique. Vu dans les divers actes de son existence, ce gentleman donnait l'idée d'un être bien équilibré dans toutes ses parties, justement pondéré[3], aussi parfait qu'un chronomètre de Leroy[4] ou de Earnshaw[5]. C'est qu'en effet, Phileas Fogg était l'exactitude personnifiée, ce qui se voyait clairement à « l'expression de ses pieds et de ses mains », car chez l'homme, aussi bien que chez les animaux, les membres eux-mêmes sont des organes expressifs des passions.

Phileas Fogg était de ces gens mathématiquement exacts, qui, jamais pressés et toujours prêts, sont économes de leurs pas et de leurs mouvements. Il ne faisait pas une enjambée de trop, allant toujours par le plus court. Il ne perdait pas un regard au plafond. Il ne se permettait aucun geste superflu. On ne l'avait jamais vu ému ni troublé. C'était l'homme le moins hâté du monde, mais il arrivait toujours à temps. Toutefois, on comprendra qu'il vécût seul et pour ainsi dire en dehors de toute relation sociale. Il savait que dans la vie il faut faire la part des frottements, et comme les frottements retardent, il ne se frottait à personne.

Quant à Jean, dit Passepartout, un vrai Parisien de Paris, depuis cinq ans qu'il habitait l'Angleterre et y faisait

---

notes

1. flegmatique : que rien ne perturbe.
2. Angelica Kauffmann : célèbre femme portraitiste du XVIIIe siècle.

3. pondéré : modéré, réfléchi.
4. Le Roy Pierre : horloger français du XVIIe siècle, à l'origine de la chronométrie moderne.

5. Earnshaw Samuel : mathématicien et physicien anglais du XVIIIe siècle.

le métier de valet de chambre, il avait cherché vainement
225 un maître auquel il pût s'attacher.

Passepartout n'était point un de ces Frontins ou Mascarilles[1] qui, les épaules hautes, le nez au vent, le regard assuré,
l'œil sec, ne sont que d'impudents[2] drôles. Non. Passepartout était un brave garçon, de physionomie aimable, aux
230 lèvres un peu saillantes[3], toujours prêtes à goûter
ou à caresser, un être doux et serviable, avec une de ces
bonnes têtes rondes que l'on aime à voir sur les épaules
d'un ami. Il avait les yeux bleus, le teint animé, la figure
assez grasse pour qu'il pût lui-même voir les pommettes
235 de ses joues, la poitrine large, la taille forte, une muscu-
lature vigoureuse, et il possédait une force herculéenne[4]
développée. Ses cheveux bruns étaient un peu rageurs.
Si les sculpteurs de l'Antiquité connaissaient dix-huit façons
d'arranger la chevelure de Minerve, Passepartout n'en
240 connaissait qu'une pour disposer la sienne : trois coups
de démêloir[5], et il était coiffé.

De dire si le caractère expansif de ce garçon s'accordait
avec celui de Phileas Fogg, c'est ce que la prudence la plus
élémentaire ne permet pas. Passepartout serait-il ce domes-
245 tique foncièrement[6] exact qu'il fallait à son maître ?
On ne le verrait qu'à l'user. Après avoir eu, on le sait, une
jeunesse assez vagabonde, il aspirait au repos. Ayant entendu
vanter le méthodisme[7] anglais et la froideur proverbiale

notes

1. **Frontins, Mascarilles :** personnages de comédie, représentant un type de valet à l'humeur joyeuse et à l'esprit inventif, pas toujours très honnête.
2. **impudents :** impertinents.

3. **saillantes :** proéminentes, qui ressortent.
4. **force herculéenne :** force hors du commun, comme celle du héros Hercule, dans l'Antiquité.
5. **démêloir :** peigne aux dents espacées.

6. **foncièrement :** fondamentalement.
7. **méthodisme :** caractère méthodique.

des gentlemen, il vint chercher fortune en Angleterre. Mais,
250 jusqu'alors, le sort l'avait mal servi. Il n'avait pu prendre
racine nulle part. Il avait fait dix maisons. Dans toutes,
on était fantasque, inégal, coureur d'aventures ou coureur
de pays, – ce qui ne pouvait plus convenir à Passepartout.
Son dernier maître, le jeune Lord Longsferry, membre
255 du Parlement, après avoir passé ses nuits dans les « oysters-
rooms[1] » d'Hay-Market, rentrait trop souvent au logis sur
les épaules des policemen. Passepartout, voulant avant tout
pouvoir respecter son maître, risqua quelques respectueuses
observations qui furent mal reçues, et il rompit. Il apprit,
260 sur les entrefaites, que Phileas Fogg, esq., cherchait
un domestique. Il prit des renseignements sur ce gentleman.
Un personnage dont l'existence était si régulière, qui
ne découchait pas, qui ne voyageait pas, qui ne s'absentait
jamais, pas même un jour, ne pouvait que lui convenir.
265 Il se présenta et fut admis dans les circonstances que l'on sait.

Passepartout – onze heures et demie étant sonnées
– se trouvait donc seul dans la maison de Saville-row.
Aussitôt il en commença l'inspection. Il la parcourut
de la cave au grenier. Cette maison propre, rangée, sévère,
270 puritaine[2], bien organisée pour le service, lui plut. Elle lui fit
l'effet d'une belle coquille de colimaçon, mais d'une
coquille éclairée et chauffée au gaz, car l'hydrogène carburé[3]
y suffisait à tous les besoins de lumière et de chaleur.
Passepartout trouva sans peine, au second étage, la chambre
275 qui lui était destinée. Elle lui convint. Des timbres[4] élec-

---

notes

1. « *oysters-rooms* » : bars.
2. *puritaine* : qui montre
un respect rigoureux
des règles.

3. *hydrogène carburé* :
gaz inflammable qui servait
à l'éclairage.
4. *timbres* : sonnettes.

triques et des tuyaux acoustiques la mettaient en communication avec les appartements de l'entresol et du premier étage. Sur la cheminée, une pendule électrique correspondait avec la pendule de la chambre à coucher de Phileas Fogg, et les deux appareils battaient au même instant la même seconde.

« Cela me va, cela me va ! » se dit Passepartout.

Il remarqua aussi, dans sa chambre, une notice affichée au-dessus de la pendule. C'était le programme du service quotidien. Il comprenait – depuis huit heures du matin, heure réglementaire à laquelle se levait Phileas Fogg, jusqu'à onze heures et demie, heure à laquelle il quittait sa maison pour aller déjeuner au Reform-Club – tous les détails du service, le thé et les rôties[1] de huit heures vingt-trois, l'eau pour la barbe de neuf heures trente-sept, la coiffure de dix heures moins vingt, etc. Puis de onze heures et demie du matin à minuit – heure à laquelle se couchait le méthodique gentleman –, tout était noté, prévu, régularisé. Passepartout se fit une joie de méditer ce programme et d'en graver les divers articles dans son esprit.

Quant à la garde-robe de monsieur, elle était fort bien montée et merveilleusement comprise[2]. Chaque pantalon, habit ou gilet portait un numéro d'ordre reproduit sur un registre d'entrée et de sortie, indiquant la date à laquelle, suivant la saison, ces vêtements devaient être tour à tour portés. Même réglementation pour les chaussures.

En somme, dans cette maison de Saville-row – qui devait être le temple du désordre à l'époque de l'illustre mais dissipé Sheridan –, ameublement confortable, annonçant

---

notes

1. rôties : tranches de pain grillé.

2. comprise : (ici) rangée.

305 une belle aisance. Pas de bibliothèque, pas de livres, qui eussent été sans utilité pour Mr. Fogg, puisque le Reform-Club mettait à sa disposition deux bibliothèques, l'une consacrée aux lettres, l'autre au droit et à la politique. Dans la chambre à coucher, un coffre-fort de moyenne grandeur,

310 que sa construction défendait aussi bien de l'incendie que du vol. Point d'armes dans la maison, aucun ustensile de chasse ou de guerre. Tout y dénotait les habitudes les plus pacifiques.

Après avoir examiné cette demeure en détail, Passepartout

315 se frotta les mains, sa large figure s'épanouit, et il répéta joyeusement :

« Cela me va ! voilà mon affaire ! Nous nous entendrons parfaitement, Mr. Fogg et moi ! Un homme casanier[1] et régulier ! Une véritable mécanique ! Eh bien, je ne suis

320 pas fâché de servir une mécanique ! »

Chapitre III

Phileas Fogg avait quitté sa maison de Saville-row à onze heures et demie, et, après avoir placé cinq cent soixante-quinze fois son pied droit devant son pied gauche et cinq cent soixante-seize fois son pied gauche devant son pied

325 droit, il arriva au Reform-Club, vaste édifice, élevé dans Pall-Mall[2], qui n'a pas coûté moins de trois millions à bâtir.

Phileas Fogg se rendit aussitôt à la salle à manger, dont les neuf fenêtres s'ouvraient sur un beau jardin aux arbres déjà dorés par l'automne. Là, il prit place à la table habituelle

notes

1. **casanier :** qui aime rester chez lui.

2. **Pall-Mall :** quartier élégant de Londres, siège de plusieurs clubs très sélects, fondés aux XVIIIe et XIXe siècles.

330 où son couvert l'attendait. Son déjeuner se composait d'un hors-d'œuvre, d'un poisson bouilli relevé d'une « reading sauce[1] » de premier choix, d'un roastbeef écarlate agrémenté de condiments « mushroom[2] », d'un gâteau farci de tiges de rhubarbe et de groseilles vertes, d'un morceau de ches-
335 ter[3], – le tout arrosé de quelques tasses de cet excellent thé, spécialement recueilli pour l'office du Reform-Club.

À midi quarante-sept, ce gentleman se leva et se dirigea vers le grand salon, somptueuse pièce, ornée de peintures richement encadrées. Là, un domestique lui remit le *Times*
340 non coupé, dont Phileas Fogg opéra le laborieux dépliage avec une sûreté de main qui dénotait une grande habitude de cette difficile opération. La lecture de ce journal occupa Phileas Fogg jusqu'à trois heures quarante-cinq, et celle du *Standard* – qui lui succéda – dura jusqu'au dîner. Ce repas
345 s'accomplit dans les mêmes conditions que le déjeuner, avec adjonction de « royal british sauce ».

À six heures moins vingt, le gentleman reparut dans le grand salon et s'absorba dans la lecture du *Morning Chronicle*.
350 Une demi-heure plus tard, divers membres du Reform-Club faisaient leur entrée et s'approchaient de la cheminée, où brûlait un feu de houille[4]. C'étaient les partenaires habituels de Mr. Phileas Fogg, comme lui enragés joueurs de whist : l'ingénieur Andrew Stuart, les banquiers John
355 Sullivan et Samuel Fallentin, le brasseur[5] Thomas Flanagan, Gauthier Ralph, un des administrateurs de la Banque

notes

1. « *reading sauce* » : sauce toute faite destinée à être consommée immédiatement.

2. « *mushroom* » : aux champignons.
3. *chester* : fromage.

4. *houille* : variété de charbon utilisée comme combustible.
5. *brasseur* : fabricant de bière.

d'Angleterre, – personnages riches et considérés, même dans ce club qui compte parmi ses membres les sommités[1] de l'industrie et de la finance.

360 « Eh bien, Ralph, demanda Thomas Flanagan, où en est cette affaire de vol ?

– Eh bien, répondit Andrew Stuart, la Banque en sera pour son argent.

– J'espère, au contraire, dit Gauthier Ralph, que nous
365 mettrons la main sur l'auteur du vol. Des inspecteurs de police, gens fort habiles, ont été envoyés en Amérique et en Europe, dans tous les principaux ports d'embarquement et de débarquement, et il sera difficile à ce monsieur de leur échapper.

370 – Mais on a donc le signalement du voleur ? demanda Andrew Stuart.

– D'abord, ce n'est pas un voleur, répondit sérieusement Gauthier Ralph.

– Comment, ce n'est pas un voleur, cet individu qui
375 a soustrait cinquante-cinq mille livres[2] en bank-notes[3] (1 million 375 000 francs) ?

– Non, répondit Gauthier Ralph.

– C'est donc un industriel ? dit John Sullivan.

– Le *Morning Chronicle* assure que c'est un gentleman. »
380 Celui qui fit cette réponse n'était autre que Phileas Fogg, dont la tête émergeait alors du flot de papier amassé autour de lui. En même temps, Phileas Fogg salua ses collègues, qui lui rendirent son salut.

Le fait dont il était question, que les divers journaux
385 du Royaume-Uni discutaient avec ardeur, s'était accompli

notes

1. *sommités :* personnalités connues.

2. *livres :* unité monétaire anglaise.

3. *bank-notes :* billets de banque.

trois jours auparavant, le 29 septembre. Une liasse de bank-notes, formant l'énorme somme de cinquante-cinq mille livres, avait été prise sur la tablette du caissier principal de la Banque d'Angleterre.

390 À qui s'étonnait qu'un tel vol eût pu s'accomplir aussi facilement, le sous-gouverneur Gauthier Ralph se bornait à répondre qu'à ce moment même, le caissier s'occupait d'enregistrer une recette de trois shillings six pence[1], et qu'on ne saurait avoir l'œil à tout.

395 Mais il convient de faire observer ici – ce qui rend le fait plus explicable – que cet admirable établissement de « Bank of England » paraît se soucier extrêmement de la dignité du public. Point de gardes, point d'invalides, point de grillages ! L'or, l'argent, les billets sont exposés librement
400 et pour ainsi dire à la merci du premier venu. On ne saurait mettre en suspicion[2] l'honorabilité d'un passant quelconque. Un des meilleurs observateurs des usages anglais raconte même ceci : Dans une des salles de la Banque où il se trouvait un jour, il eut la curiosité de voir de plus près un lingot
405 d'or pesant sept à huit livres[3], qui se trouvait exposé sur la tablette du caissier ; il prit ce lingot, l'examina, le passa à son voisin, celui-ci à un autre, si bien que le lingot, de main en main, s'en alla jusqu'au fond d'un corridor obscur, et ne revint qu'une demi-heure après reprendre
410 sa place, sans que le caissier eût seulement levé la tête.

Mais, le 29 septembre, les choses ne se passèrent pas tout à fait ainsi. La liasse de bank-notes ne revint pas, et

notes

1. shillings, pence : monnaie anglaise.
2. mettre en suspicion : mettre en doute.

3. livres : ancienne unité de masse qui variait selon les provinces (entre 380 et 550 grammes).

quand la magnifique horloge, posée au-dessus du « drawing-office », sonna à cinq heures la fermeture des bureaux, la Banque d'Angleterre n'avait plus qu'à passer cinquante-cinq mille livres par le compte de profits et pertes[1].

Le vol bien et dûment reconnu, des agents, des « détectives », choisis parmi les plus habiles, furent envoyés dans les principaux ports, à Liverpool, à Glasgow, au Havre, à Suez, à Brindisi, à New York, etc., avec promesse, en cas de succès, d'une prime de deux mille livres (50 000 fr.) et cinq pour cent de la somme qui serait retrouvée. En attendant les renseignements que devait fournir l'enquête immédiatement commencée, ces inspecteurs avaient pour mission d'observer scrupuleusement tous les voyageurs en arrivée ou en partance.

Or, précisément, ainsi que le disait le *Morning Chronicle*, on avait lieu de supposer que l'auteur du vol ne faisait partie d'aucune des sociétés de voleurs d'Angleterre. Pendant cette journée du 29 septembre, un gentleman bien mis, de bonnes manières, l'air distingué, avait été remarqué, qui allait et venait dans la salle des paiements, théâtre du vol. L'enquête avait permis de refaire assez exactement le signalement de ce gentleman, signalement qui fut aussitôt adressé à tous les détectives du Royaume-Uni et du continent. Quelques bons esprits – et Gauthier Ralph était du nombre – se croyaient donc fondés à espérer que le voleur n'échapperait pas.

Comme on le pense, ce fait était à l'ordre du jour à Londres et dans toute l'Angleterre. On discutait, on se passionnait pour ou contre les probabilités du succès

---

notes

1. passer [...] par le compte de profits et pertes : considérer la somme comme définitivement perdue.

24

de la police métropolitaine[1]. On ne s'étonnera donc pas d'entendre les membres du Reform-Club traiter la même question, d'autant plus que l'un des sous-gouverneurs de la Banque se trouvait parmi eux.

L'honorable Gauthier Ralph ne voulait pas douter du résultat des recherches, estimant que la prime offerte devrait singulièrement aiguiser le zèle et l'intelligence des agents. Mais son collègue, Andrew Stuart, était loin de partager cette confiance. La discussion continua donc entre les gentlemen, qui s'étaient assis à une table de whist, Stuart devant Flanagan, Fallentin devant Phileas Fogg. Pendant le jeu, les joueurs ne parlaient pas, mais entre les robres[2], la conversation interrompue reprenait de plus belle.

« Je soutiens, dit Andrew Stuart, que les chances sont en faveur du voleur, qui ne peut manquer d'être un habile homme !

– Allons donc ! répondit Ralph, il n'y a plus un seul pays dans lequel il puisse se réfugier.

– Par exemple !

– Où voulez-vous qu'il aille ?

– Je n'en sais rien, répondit Andrew Stuart, mais, après tout, la terre est assez vaste.

– Elle l'était autrefois... » dit à mi-voix Phileas Fogg. Puis : « À vous de couper, monsieur », ajouta-t-il en présentant les cartes à Thomas Flanagan.

La discussion fut suspendue pendant le robre. Mais bientôt Andrew Stuart la reprenait, disant :

notes

1. police métropolitaine : police de la capitale.

2. robres : parties du jeu de whist.

« Comment, autrefois ! Est-ce que la terre a diminué, par hasard ?

— Sans doute, répondit Gauthier Ralph. Je suis de l'avis de Mr. Fogg. La terre a diminué, puisqu'on la parcourt maintenant dix fois plus vite qu'il y a cent ans. Et c'est ce qui, dans le cas dont nous nous occupons, rendra les recherches plus rapides.

— Et rendra plus facile aussi la fuite du voleur !

— À vous de jouer, monsieur Stuart ! » dit Phileas Fogg.

Mais l'incrédule Stuart n'était pas convaincu, et, la partie achevée :

« Il faut avouer, monsieur Ralph, reprit-il, que vous avez trouvé là une manière plaisante de dire que la terre a diminué ! Ainsi parce qu'on en fait maintenant le tour en trois mois...

— En quatre-vingts jours seulement, dit Phileas Fogg.

— En effet, messieurs, ajouta John Sullivan, quatre-vingts jours, depuis que la section entre Rothal et Allahabad a été ouverte sur le « Great-Indian peninsular railway[1] », et voici le calcul établi par le *Morning Chronicle* :

De Londres à Suez par le Mont-Cenis et Brindisi, railways et paquebots	7 jours
De Suez à Bombay, paquebot	13 jours
De Bombay à Calcutta, railway	3 jours
De Calcutta à Hong-Kong (Chine), paquebot	13 jours
De Hong-Kong à Yokohama (Japon), paquebot	6 jours
De Yokohama à San Francisco, paquebot	22 jours
De San Francisco à New York, railroad	7 jours
De New York à Londres, paquebot et railway	9 jours
Total	80 jours

— Oui, quatre-vingts jours ! s'écria Andrew Stuart, qui, par inattention, coupa une carte maîtresse, mais non compris

note

1. railway : mode de transport utilisant conjointement la route et le chemin de fer.

490 le mauvais temps, les vents contraires, les naufrages, les déraillements, etc.

– Tout compris, répondit Phileas Fogg en continuant de jouer, car, cette fois, la discussion ne respectait plus le whist.

495 – Même si les Indous ou les Indiens enlèvent les rails ! s'écria Andrew Stuart, s'ils arrêtent les trains, pillent les fourgons, scalpent les voyageurs !

– Tout compris », répondit Phileas Fogg, qui, abattant son jeu, ajouta : « Deux atouts maîtres. »

500 Andrew Stuart, à qui c'était le tour de « faire », ramassa les cartes en disant :

« Théoriquement, vous avez raison, monsieur Fogg, mais dans la pratique...

– Dans la pratique aussi, monsieur Stuart.

505 – Je voudrais bien vous y voir.

– Il ne tient qu'à vous. Partons ensemble.

– Le ciel m'en préserve ! s'écria Stuart, mais je parierais bien quatre mille livres (100 000 fr.) qu'un tel voyage, fait dans ces conditions, est impossible.

510 – Très possible, au contraire, répondit Mr. Fogg.

– Eh bien, faites-le donc !

– Le tour du monde en quatre-vingts jours ?

– Oui.

– Je le veux bien.

515 – Quand ?

– Tout de suite.

– C'est de la folie ! s'écria Andrew Stuart, qui commençait à se vexer de l'insistance de son partenaire. Tenez ! jouons plutôt.

520 – Refaites alors, répondit Phileas Fogg, car il y a maldonne. »

Andrew Stuart reprit les cartes d'une main fébrile ; puis, tout à coup, les posant sur la table :

« Eh bien, oui, monsieur Fogg, dit-il, oui, je parie quatre
525 mille livres !...

— Mon cher Stuart, dit Fallentin, calmez-vous. Ce n'est pas sérieux.

— Quand je dis : je parie, répondit Andrew Stuart, c'est toujours sérieux.

530 — Soit ! » dit Mr. Fogg. Puis, se tournant vers ses collègues :

« J'ai vingt mille livres (500 000 fr.) déposées chez Baring frères. Je les risquerai volontiers...

— Vingt mille livres ! s'écria John Sullivan. Vingt mille livres qu'un retard imprévu peut vous faire perdre !

535 — L'imprévu n'existe pas, répondit simplement Phileas Fogg.

— Mais, monsieur Fogg, ce laps[1] de quatre-vingts jours n'est calculé que comme un minimum de temps !

— Un minimum bien employé suffit à tout.

540 — Mais pour ne pas le dépasser, il faut sauter mathématiquement des railways dans les paquebots, et des paquebots dans les chemins de fer !

— Je sauterai mathématiquement.

— C'est une plaisanterie !

545 — Un bon Anglais ne plaisante jamais, quand il s'agit d'une chose aussi sérieuse qu'un pari, répondit Phileas Fogg. Je parie vingt mille livres contre qui voudra que je ferai le tour de la terre en quatre-vingts jours ou moins, soit dix-neuf cent vingt heures ou cent quinze mille deux cents
550 minutes. Acceptez-vous ?

note

1. *laps :* intervalle de temps.

– Nous acceptons, répondirent MM. Stuart, Fallentin, Sullivan, Flanagan et Ralph, après s'être entendus[1].

– Bien, dit Mr. Fogg. Le train de Douvres part à huit heures quarante-cinq. Je le prendrai.

555 – Ce soir même ? demanda Stuart.

– Ce soir même, répondit Phileas Fogg. Donc, ajouta-t-il en consultant un calendrier de poche, puisque c'est aujourd'hui mercredi 2 octobre, je devrai être de retour à Londres, dans ce salon même du Reform-Club, le samedi
560 21 décembre, à huit heures quarante-cinq du soir, faute de quoi les vingt mille livres déposées actuellement à mon crédit chez Baring frères vous appartiendront de fait et de droit, messieurs. – Voici un chèque de pareille somme. »

565 Un procès-verbal du pari fut fait et signé sur-le-champ par les six co-intéressés. Phileas Fogg était demeuré froid. Il n'avait certainement pas parié pour gagner, et n'avait engagé ces vingt mille livres – la moitié de sa fortune – que parce qu'il prévoyait qu'il pourrait avoir à dépenser l'autre
570 pour mener à bien ce difficile, pour ne pas dire inexécutable projet. Quant à ses adversaires, eux, ils paraissaient émus, non pas à cause de la valeur de l'enjeu, mais parce qu'ils se faisaient une sorte de scrupule de lutter dans ces conditions.

575 Sept heures sonnaient alors. On offrit à Mr. Fogg de suspendre le whist afin qu'il pût faire ses préparatifs de départ.

« Je suis toujours prêt ! » répondit cet impassible gentleman, et donnant les cartes :

---

note

1. s'être entendus : s'être mis d'accord.

580 « Je retourne carreau, dit-il. À vous de jouer, monsieur Stuart. »

Chapitre IV

À sept heures vingt-cinq, Phileas Fogg, après avoir gagné une vingtaine de guinées[1] au whist, prit congé de ses honorables collègues, et quitta le Reform-Club. À sept heures
585 cinquante, il ouvrait la porte de sa maison et rentrait chez lui.

Passepartout, qui avait consciencieusement étudié son programme, fut assez surpris en voyant Mr. Fogg, coupable d'inexactitude, apparaître à cette heure insolite[2]. Suivant
590 la notice, le locataire de Saville-row ne devait rentrer qu'à minuit précis.

Phileas Fogg était tout d'abord monté à sa chambre, puis il appela :

« Passepartout. »

595 Passepartout ne répondit pas. Cet appel ne pouvait s'adresser à lui. Ce n'était pas l'heure.

« Passepartout », reprit Mr. Fogg sans élever la voix davantage.

Passepartout se montra.

600 « C'est la deuxième fois que je vous appelle, dit Mr. Fogg.

— Mais il n'est pas minuit, répondit Passepartout, sa montre à la main.

— Je le sais, reprit Phileas Fogg, et je ne vous fais pas de reproche. Nous partons dans dix minutes pour Douvres
605 et Calais. »

notes

1. guinées : monnaie anglaise.

2. insolite : inhabituelle.

Une sorte de grimace s'ébaucha sur la ronde face du Français. Il était évident qu'il avait mal entendu.

« Monsieur se déplace ? demanda-t-il.

– Oui, répondit Phileas Fogg. Nous allons faire le tour du monde. »

Passepartout, l'œil démesurément ouvert, la paupière et le sourcil surélevés, les bras détendus, le corps affaissé, présentait alors tous les symptômes de l'étonnement poussé jusqu'à la stupeur.

« Le tour du monde ! murmura-t-il.

– En quatre-vingts jours, répondit Mr. Fogg. Ainsi, nous n'avons pas un instant à perdre.

– Mais les malles ?... dit Passepartout, qui balançait inconsciemment sa tête de droite et de gauche.

– Pas de malles. Un sac de nuit seulement. Dedans, deux chemises de laine, trois paires de bas. Autant pour vous. Nous achèterons en route. Vous descendrez mon mackintosh[1] et ma couverture de voyage. Ayez de bonnes chaussures. D'ailleurs, nous marcherons peu ou pas. Allez. »

Passepartout aurait voulu répondre. Il ne put. Il quitta la chambre de Mr. Fogg, monta dans la sienne, tomba sur une chaise, et employant une phrase assez vulgaire de son pays :

« Ah ! bien se dit-il, elle est forte, celle-là ! Moi qui voulais rester tranquille !... »

Et, machinalement, il fit ses préparatifs de départ. Le tour du monde en quatre-vingts jours ! Avait-il affaire à un fou ? Non... C'était une plaisanterie ? On allait à Douvres, bien... À Calais, soit. Après tout, cela ne pouvait notablement

note

1. mackintosh : manteau.

635 contrarier le brave garçon, qui, depuis cinq ans, n'avait pas foulé le sol de la patrie. Peut-être même irait-on jusqu'à Paris, et, ma foi, il reverrait avec plaisir la grande capitale. Mais, certainement, un gentleman aussi ménager[1] de ses pas s'arrêterait là... Oui, sans doute, mais il n'en était pas moins
640 vrai qu'il partait, qu'il se déplaçait, ce gentleman, si casanier jusqu'alors !

À huit heures, Passepartout avait préparé le modeste sac qui contenait sa garde-robe et celle de son maître ; puis, l'esprit encore troublé, il quitta sa chambre, dont il ferma
645 soigneusement la porte, et il rejoignit Mr. Fogg.

Mr. Fogg était prêt. Il portait sous son bras le *Bradshaws'continental railway steam transit and general guide*, qui devait lui fournir toutes les indications nécessaires à son voyage. Il prit le sac des mains de Passepartout, l'ouvrit
650 et y glissa une forte liasse de ces belles bank-notes qui ont cours dans tous les pays.

« Vous n'avez rien oublié ? demanda-t-il.

– Rien, monsieur.

– Mon mackintosh et ma couverture ?
655 – Les voici.

– Bien, prenez ce sac. »

Mr. Fogg remit le sac à Passepartout.

« Et ayez-en soin, ajouta-t-il. Il y a vingt mille livres dedans (500 000 fr.). »
660 Le sac faillit s'échapper des mains de Passepartout, comme si les vingt mille livres eussent été en or et pesé considérablement.

Le maître et le domestique descendirent alors, et la porte de la rue fut fermée à double tour.

note

1. *ménager :* économe.

665 Une station de voitures se trouvait à l'extrémité de Saville-row. Phileas Fogg et son domestique montèrent dans un cab[1], qui se dirigea rapidement vers la gare de Charing-Cross, à laquelle aboutit un des embranchements du South-Eastern-railway.

670 À huit heures vingt, le cab s'arrêta devant la grille de la gare. Passepartout sauta à terre. Son maître le suivit, et paya le cocher.

En ce moment, une pauvre mendiante, tenant un enfant à la main, pieds nus dans la boue, coiffée d'un chapeau 675 dépenaillé[2] auquel pendait une plume lamentable, un châle en loques sur ses haillons, s'approcha de Mr. Fogg et lui demanda l'aumône.

Mr. Fogg tira de sa poche les vingt guinées qu'il venait de gagner au whist, et, les présentant à la mendiante :

680 « Tenez, ma brave femme, dit-il, je suis content de vous avoir rencontrée ! »

Puis il passa.

Passepartout eut comme une sensation d'humidité autour de la prunelle. Son maître avait fait un pas dans son cœur.

685 Mr. Fogg et lui entrèrent aussitôt dans la grande salle de la gare. Là, Phileas Fogg donna à Passepartout l'ordre de prendre deux billets de première classe pour Paris. Puis, se retournant, il aperçut ses cinq collègues du Reform-Club.

« Messieurs, je pars, dit-il, et les divers visas apposés sur 690 un passeport que j'emporte à cet effet vous permettront, au retour, de contrôler mon itinéraire.

---

notes

1. cab : voiture à cheval servant de taxi.

2. dépenaillé : en très mauvais état.

– Oh ! monsieur Fogg, répondit poliment Gauthier Ralph, c'est inutile. Nous nous en rapporterons à votre honneur de gentleman !

695 – Cela vaut mieux ainsi, dit Mr. Fogg.

– Vous n'oubliez pas que vous devez être revenu ?... fit observer Andrew Stuart.

– Dans quatre-vingts jours, répondit Mr. Fogg, le samedi 21 décembre 1872, à huit heures quarante-cinq minutes

700 du soir. Au revoir, messieurs. »

À huit heures quarante, Phileas Fogg et son domestique prirent place dans le même compartiment. À huit heures quarante-cinq, un coup de sifflet retentit, et le train se mit en marche.

705 La nuit était noire. Il tombait une pluie fine. Phileas Fogg, accoté[1] dans son coin, ne parlait pas. Passepartout, encore abasourdi[2], pressait machinalement contre lui le sac aux bank-notes.

Mais le train n'avait pas dépassé Sydenham, que Passepar-

710 tout poussait un véritable cri de désespoir !

« Qu'avez-vous ? demanda Mr. Fogg.

– Il y a... que... dans ma précipitation... mon trouble... j'ai oublié...

– Quoi ?

715 – D'éteindre le bec de gaz de ma chambre !

– Eh bien, mon garçon, répondit froidement Mr. Fogg, il brûle à votre compte ! »

---

notes

1. accoté : appuyé d'un côté.   *2. abasourdi :* stupéfait.

Chapitre V

Phileas Fogg, en quittant Londres, ne se doutait guère, sans doute, du grand retentissement[1] qu'allait provoquer son départ. La nouvelle du pari se répandit d'abord dans le Reform-Club, et produisit une véritable émotion parmi les membres de l'honorable cercle. Puis, du club, cette émotion passa aux journaux par la voie des reporters, et des journaux au public de Londres et de tout le Royaume-Uni.

Cette « question du tour du monde » fut commentée, discutée, disséquée, avec autant de passion et d'ardeur que s'il se fût agi d'une nouvelle affaire de l'*Alabama*[2]. Les uns prirent parti pour Phileas Fogg, les autres – et ils formèrent bientôt une majorité considérable – se prononcèrent contre lui. Ce tour du monde à accomplir, autrement qu'en théorie et sur le papier, dans ce minimum de temps, avec les moyens de communication actuellement en usage, ce n'était pas seulement impossible, c'était insensé !

Le *Times*, le *Standard*, l'*Evening Star*, le *Morning Chronicle*, et vingt autres journaux de grande publicité, se déclarèrent contre Mr. Fogg. Seul, le *Daily Telegraph* le soutint dans une certaine mesure. Phileas Fogg fut généralement traité de maniaque, de fou, et ses collègues du Reform-Club furent blâmés d'avoir tenu ce pari, qui accusait un affaiblissement dans les facultés mentales de son auteur.

Des articles extrêmement passionnés, mais logiques, parurent sur la question. On sait l'intérêt que l'on porte en Angleterre à tout ce qui touche à la géographie. Aussi

---

notes

1. retentissement : bruit.
2. affaire de l'Alabama : conflit qui opposa les États-Unis et la Grande-Bretagne à propos de la neutralité de cette dernière pendant la guerre de Sécession.

n'était-il pas un lecteur, à quelque classe qu'il appartînt, qui
ne dévorât les colonnes consacrées au cas de Phileas Fogg.

Pendant les premiers jours, quelques esprits audacieux
– les femmes principalement – furent pour lui, surtout
quand l'*Illustrated London News* eut publié son portrait
d'après sa photographie déposée aux archives du Reform-
Club. Certains gentlemen osaient dire : « Hé ! hé ! pourquoi
pas, après tout ? On a vu des choses plus extraordinaires ! »
C'étaient surtout les lecteurs du *Daily Telegraph*. Mais
on sentit bientôt que ce journal lui-même commençait
à faiblir.

En effet, un long article parut le 7 octobre dans le Bulletin
de la Société royale de géographie. Il traita la question à tous
les points de vue, et démontra clairement la folie de l'entreprise. D'après cet article, tout était contre le voyageur,
obstacles de l'homme, obstacles de la nature. Pour réussir
dans ce projet, il fallait admettre une concordance miraculeuse des heures de départ et d'arrivée, concordance qui
n'existait pas, qui ne pouvait pas exister. À la rigueur,
et en Europe, où il s'agit de parcours d'une longueur
relativement médiocre, on peut compter sur l'arrivée des
trains à heure fixe ; mais quand ils emploient trois jours
à traverser l'Inde, sept jours à traverser les États-Unis,
pouvait-on fonder sur leur exactitude les éléments d'un tel
problème ? Et les accidents de machine, les déraillements, les
rencontres, la mauvaise saison, l'accumulation des neiges,
est-ce que tout n'était pas contre Phileas Fogg ? Sur les
paquebots, ne se trouverait-il pas, pendant l'hiver, à la merci
des coups de vent ou des brouillards ? Est-il donc si rare que
les meilleurs marcheurs des lignes transocéaniennes éprou-
vent des retards de deux ou trois jours ? Or, il suffisait d'un
retard, un seul, pour que la chaîne de communications fût

irréparablement brisée. Si Phileas Fogg manquait, ne fût-ce que de quelques heures, le départ d'un paquebot, il serait forcé d'attendre le paquebot suivant, et par cela même son voyage était compromis irrévocablement.

780   L'article fit grand bruit. Presque tous les journaux le reproduisirent, et les actions de Phileas Fogg baissèrent singulièrement.

    Pendant les premiers jours qui suivirent le départ du gentleman, d'importantes affaires s'étaient engagées sur « l'aléa[1] »
785 de son entreprise. On sait ce qu'est le monde des parieurs en Angleterre, monde plus intelligent, plus relevé que celui des joueurs. Parier est dans le tempérament anglais. Aussi, non seulement les divers membres du Reform-Club établirent-ils des paris considérables pour ou contre Phileas
790 Fogg, mais la masse du public entra dans le mouvement. Phileas Fogg fut inscrit comme un cheval de course, à une sorte de stud-book[2]. On en fit aussi une valeur de bourse, qui fut immédiatement cotée sur la place de Londres[3]. On demandait, on offrait du « Phileas Fogg » ferme
795 ou à prime[4], et il se fit des affaires énormes. Mais cinq jours après son départ, après l'article du Bulletin de la Société de géographie, les offres commencèrent à affluer. Le Phileas Fogg baissa. On l'offrit par paquets. Pris d'abord à cinq, puis à dix, on ne le prit plus qu'à vingt, à cinquante, à cent !
800   Un seul partisan lui resta. Ce fut le vieux paralytique[5], Lord Albermale. L'honorable gentleman, cloué sur son

---

notes

1. aléa : tour imprévisible que peuvent prendre les événements.
2. stud-book : registre portant les noms,
les généalogies et les victoires des purs-sangs.
3. cotée sur la place de Londres : introduite comme une valeur à la Bourse de Londres.
4. ferme ou à prime : termes boursiers.
5. paralytique : atteint d'une maladie qui le paralyse, l'immobilise.

fauteuil, eût donné sa fortune pour pouvoir faire le tour du monde, même en dix ans ! et il paria cinq mille livres (100 000 fr.) en faveur de Phileas Fogg. Et quand, en même temps que la sottise du projet, on lui en démontrait l'inutilité, il se contentait de répondre : « Si la chose est faisable, il est bon que ce soit un Anglais qui le premier l'ait faite ! »

Or, on en était là, les partisans de Phileas Fogg se raréfiaient de plus en plus ; tout le monde, et non sans raison, se mettait contre lui ; on ne le prenait plus qu'à cent cinquante, à deux cents contre un, quand, sept jours après son départ, un incident, complètement inattendu, fit qu'on ne le prit plus du tout.

En effet, pendant cette journée, à neuf heures du soir, le directeur de la police métropolitaine avait reçu une dépêche[1] télégraphique ainsi conçue :

« Suez à Londres.

« *Rowan, directeur police, administration centrale, Scotland* « *place.*

« Je file voleur de Banque, Phileas Fogg. Envoyez sans retard mandat d'arrestation[2] à Bombay (Inde anglaise).

« FIX, *détective.* »

L'effet de cette dépêche fut immédiat. L'honorable gentleman disparut pour faire place au voleur de bank-notes. Sa photographie, déposée au Reform-Club avec celles de tous ses collègues, fut examinée. Elle reproduisait trait pour trait l'homme dont le signalement avait été fourni par l'enquête. On rappela ce que l'existence de Phileas Fogg avait de mystérieux, son isolement, son départ subit[3],

notes

1. dépêche : message urgent.
2. mandat d'arrestation :
ordre émis par un magistrat,

permettant à un policier
d'arrêter quelqu'un.
3. subit : soudain.

830 et il parut évident que ce personnage, prétextant un voyage autour du monde et l'appuyant sur un pari insensé, n'avait eu d'autre but que de dépister[1] les agents de la police anglaise.

Chapitre VI

Voici dans quelles circonstances avait été lancée cette
835 dépêche concernant le sieur Phileas Fogg.

Le mercredi 9 octobre, on attendait pour onze heures du matin, à Suez, le paquebot *Mongolia*, de la Compagnie péninsulaire et orientale, steamer[2] en fer à hélice et à spardeck[3], jaugeant[4] deux mille huit cents tonnes et possédant
840 une force nominale de cinq cents chevaux. Le *Mongolia* faisait régulièrement les voyages de Brindisi à Bombay par le canal de Suez. C'était un des plus rapides marcheurs[5] de la Compagnie, et les vitesses réglementaires, soit dix milles[6] à l'heure entre Brindisi et Suez, et neuf milles
845 cinquante-trois centièmes entre Suez et Bombay, il les avait toujours dépassées.

En attendant l'arrivée du *Mongolia*, deux hommes se promenaient sur le quai au milieu de la foule d'indigènes[7] et d'étrangers qui affluent dans cette ville, naguère une
850 bourgade[8], à laquelle la grande œuvre de M. de Lesseps[9] assure un avenir considérable.

notes

1. dépister : faire perdre la piste à.
2. steamer : bateau à vapeur.
3. spardeck : pont supérieur d'un navire.
4. jaugeant : ayant une capacité de.

5. marcheurs : bateaux transportant des passagers.
6. milles : unité de mesure de distance utilisée en mer (1 mille = 1 852 m).
7. indigènes : population qui vit dans une région.

8. bourgade : petit bourg.
9. Lesseps Ferdinand Marie, vicomte de : diplomate français du XIXe siècle, auquel on doit le percement de de Panama et l'ouverture du canal de Suez.

De ces deux hommes, l'un était agent consulaire[1] du Royaume-Uni, établi à Suez, qui – en dépit des fâcheux pronostics[2] du gouvernement britannique et des sinistres
855 prédictions de l'ingénieur Stephenson – voyait chaque jour des navires anglais traverser ce canal, abrégeant ainsi de moitié l'ancienne route de l'Angleterre aux Indes par le cap de Bonne-Espérance.

L'autre était un petit homme maigre, de figure assez
860 intelligente, nerveux, qui contractait avec une persistance remarquable ses muscles sourciliers. À travers ses longs cils brillait un œil très vif, mais dont il savait à volonté éteindre l'ardeur. En ce moment, il donnait certaines marques d'impatience, allant, venant, ne pouvant tenir en place.

865 Cet homme se nommait Fix, et c'était un de ces « détectives » ou agents de police anglais, qui avaient été envoyés dans les divers ports, après le vol commis à la Banque d'Angleterre. Ce Fix devait surveiller avec le plus grand soin tous les voyageurs prenant la route de Suez, et si l'un d'eux
870 lui semblait suspect, le « filer » en attendant un mandat d'arrestation.

Précisément, depuis deux jours, Fix avait reçu du directeur de la police métropolitaine le signalement de l'auteur présumé du vol. C'était celui de ce personnage distingué
875 et bien mis que l'on avait observé dans la salle des paiements de la Banque.

Le détective, très alléché[3] évidemment par la forte prime promise en cas de succès, attendait donc avec une impatience facile à comprendre l'arrivée du *Mongolia*.

---

notes

1. agent consulaire : fonctionnaire à la   représentation diplomatique de la Grande-Bretagne.   **2. pronostics :** prévisions.
3. alléché : attiré.

880 « Et vous dites, monsieur le consul, demanda-t-il pour la dixième fois, que ce bateau ne peut tarder ?

– Non, monsieur Fix, reprit-il. Il a été signalé hier au large de Port-Saïd, et les cent soixante kilomètres du canal ne comptent pas pour un tel marcheur. Je vous répète que 885 le *Mongolia* a toujours gagné la prime de vingt-cinq livres que le gouvernement accorde pour chaque avance de vingt-quatre heures sur les temps réglementaires.

– Ce paquebot vient directement de Brindisi ? demanda Fix.

890 – De Brindisi même, où il a pris la malle des Indes, de Brindisi qu'il a quitté samedi à cinq heures du soir. Ainsi ayez patience, il ne peut tarder à arriver. Mais je ne sais vraiment pas comment, avec le signalement que vous avez reçu, vous pourrez reconnaître votre homme, s'il est à bord 895 du *Mongolia*.

– Monsieur le consul, répondit Fix, ces gens-là, on les sent plutôt qu'on ne les reconnaît. C'est du flair qu'il faut avoir, et le flair est comme un sens spécial auquel concourent l'ouïe, la vue et l'odorat. J'ai arrêté dans ma vie plus d'un 900 de ces gentlemen, et pourvu que mon voleur soit à bord, je vous réponds qu'il ne me glissera pas entre les mains.

– Je le souhaite, monsieur Fix, car il s'agit d'un vol important.

– Un vol magnifique, répondit l'agent enthousiasmé. 905 Cinquante-cinq mille livres ! Nous n'avons pas souvent de pareilles aubaines[1] ! Les voleurs deviennent mesquins ! La race des Sheppard s'étiole[2] ! On se fait pendre maintenant pour quelques shillings ! »

notes

1. aubaines : chances.　　**2. s'étiole :** disparaît.

– Monsieur Fix, répondit le consul, vous parlez d'une telle
910 façon que je vous souhaite vivement de réussir ; mais,
je vous le répète, dans les conditions où vous êtes, je crains
que ce ne soit difficile. Savez-vous bien que, d'après
le signalement que vous avez reçu, ce voleur ressemble
absolument à un honnête homme.

915 – Monsieur le consul, répondit dogmatiquement[1]
l'inspecteur de police, les grands voleurs ressemblent
toujours à d'honnêtes gens. Vous comprenez bien que ceux
qui ont des figures de coquins n'ont qu'un parti à prendre,
c'est de rester probes[2], sans cela ils se feraient arrêter. Les
920 physionomies honnêtes, ce sont celles-là qu'il faut dévisager
surtout. Travail difficile, j'en conviens, et qui n'est plus
du métier, mais de l'art. »

On voit que ledit Fix ne manquait pas d'une certaine dose
d'amour-propre.

925 Cependant le quai s'animait peu à peu. Marins de diverses
nationalités, commerçants, courtiers[3], portefaix[4], fellahs[5],
y affluaient. L'arrivée du paquebot était évidemment
prochaine.

Le temps était assez beau, mais l'air froid, par ce vent d'est.
930 Quelques minarets[6] se dessinaient au-dessus de la ville sous
les pâles rayons du soleil. Vers le sud, une jetée[7] longue
de deux mille mètres s'allongeait comme un bras sur la rade[8]

notes

1. **dogmatiquement :** catégoriquement.
2. **probes :** honnêtes.
3. **courtiers :** agents commerciaux.
4. **portefaix :** porteurs.
5. **fellahs :** petits propriétaires agricoles en Afrique du Nord.

6. **minarets :** tours des mosquées, du haut desquelles les muezzins appellent les fidèles musulmans à la prière.
7. **jetée :** construction formant une chaussée qui s'avance dans l'eau.

8. **rade :** bassin naturel ayant une issue vers la mer et dans lequel les bateaux peuvent mouiller.

de Suez. À la surface de la mer Rouge roulaient plusieurs bateaux de pêche ou de cabotage[1], dont quelques-uns ont
935 conservé dans leurs façons l'élégant gabarit[2] de la galère antique.

Tout en circulant au milieu de ce populaire[3], Fix, par une habitude de sa profession, dévisageait les passants d'un rapide coup d'œil.

940 Il était alors dix heures et demie.

« Mais il n'arrivera pas, ce paquebot ! s'écria-t-il en entendant sonner l'horloge du port.

– Il ne peut être éloigné, répondit le consul.

– Combien de temps stationnera-t-il à Suez ? demanda
945 Fix.

– Quatre heures. Le temps d'embarquer son charbon. De Suez à Aden, à l'extrémité de la mer Rouge, on compte treize cent dix milles, et il faut faire provision de combustible.

950 – Et de Suez, ce bateau va directement à Bombay ? demanda Fix.

– Directement, sans rompre charge[4].

– Eh bien, dit Fix, si le voleur a pris cette route et ce bateau, il doit entrer dans son plan de débarquer à Suez,
955 afin de gagner par une autre voie les possessions hollandaises ou françaises de l'Asie. Il doit bien savoir qu'il ne serait pas en sûreté dans l'Inde, qui est une terre anglaise.

– À moins que ce ne soit un homme très fort, répondit le consul. Vous le savez, un criminel anglais est toujours
960 mieux caché à Londres qu'il ne le serait à l'étranger. »

notes

1. cabotage : navigation à distance limitée des côtes.

2. gabarit : modèle.
3. populaire : foule.

4. rompre charge : s'arrêter.

Sur cette réflexion, qui donna fort à réfléchir à l'agent, le consul regagna ses bureaux, situés à peu de distance. L'inspecteur de police demeura seul, pris d'une impatience nerveuse, avec ce pressentiment assez bizarre que son voleur

965   devait se trouver à bord du *Mongolia*, – et en vérité, si ce coquin avait quitté l'Angleterre avec l'intention de gagner le Nouveau Monde, la route des Indes, moins surveillée ou plus difficile à surveiller que celle de l'Atlantique, devait avoir obtenu sa préférence.

970   Fix ne fut pas longtemps livré à ses réflexions. De vifs coups de sifflet annoncèrent l'arrivée du paquebot. Toute la horde des portefaix et des fellahs se précipita vers le quai dans un tumulte un peu inquiétant pour les membres et les vêtements des passagers. Une dizaine de canots se détachè-

975   rent de la rive et allèrent au-devant du *Mongolia*.

Bientôt on aperçut la gigantesque coque du *Mongolia*, passant entre les rives du canal, et onze heures sonnaient quand le steamer vint mouiller[1] en rade, pendant que sa vapeur fusait à grand bruit par les tuyaux d'échappement.

980   Les passagers étaient assez nombreux à bord. Quelques-uns restèrent sur le spardeck à contempler le panorama pittoresque de la ville ; mais la plupart débarquèrent dans les canots qui étaient venus accoster[2] le *Mongolia*.

985   Fix examinait scrupuleusement tous ceux qui mettaient pied à terre.

En ce moment, l'un d'eux s'approcha de lui, après avoir vigoureusement repoussé les fellahs qui l'assaillaient de leurs offres de service, et il lui demanda fort poliment s'il pouvait

notes

1. **mouiller :** jeter l'ancre.   2. **accoster :** se mettre côte à côte.

990 lui indiquer les bureaux de l'agent consulaire anglais. Et en même temps ce passager présentait un passeport sur lequel il désirait sans doute faire apposer le visa britannique.

Fix, instinctivement, prit le passeport, et, d'un rapide coup d'œil, il en lut le signalement.

995 Un mouvement involontaire faillit lui échapper. La feuille trembla dans sa main. Le signalement libellé[1] sur le passeport était identique à celui qu'il avait reçu du directeur de la police métropolitaine.

« Ce passeport n'est pas le vôtre ? dit-il au passager.

1000 — Non, répondit celui-ci, c'est le passeport de mon maître.

— Et votre maître ?

— Il est resté à bord.

— Mais, reprit l'agent, il faut qu'il se présente en personne aux bureaux du consulat afin d'établir son identité.

1005 — Quoi ! cela est nécessaire ?

— Indispensable.

— Et où sont ces bureaux ?

— Là, au coin de la place, répondit l'inspecteur en indiquant une maison éloignée de deux cents pas.

1010 — Alors, je vais aller chercher mon maître, à qui pourtant cela ne plaira guère de se déranger ! »

Là-dessus, le passager salua Fix et retourna à bord du steamer.

note

1. libellé : formulé.

Au fil du texte

AVEZ-VOUS BIEN LU ?

1. Où et quand se situe l'action au chapitre I du roman ?

2. Au chapitre II, Passepartout se retrouve seul dans la demeure de son nouveau maître. Quelles découvertes fait-il ?

3. Où Phileas Fogg se rend-il dans le chapitre III ?

4. Quel événement relaté par la presse est l'objet de toutes les conversations ?

5. Quel pari Phileas Fogg fait-il ?

6. Quelle annonce, stupéfiante pour Passepartout, Phileas Fogg fait-il au chapitre IV ?

7. Quel retournement de situation apparaît au chapitre V ?

ÉTUDIER LA PRÉSENTATION DES PERSONNAGES

8. Qu'apprend-on sur Phileas Fogg, personnage principal du roman ?

9. Quel est le deuxième personnage qui apparaît au chapitre I ? Qu'apprend-on sur lui ? Qui est-il par rapport au premier ?

10. Relevez, dans le chapitre II, deux groupes de mots qui indiquent quelles attentes ce deuxième personnage exprime par rapport au premier.

11. Quel nouveau trait de caractère du héros découvre-t-on aux lignes 673 à 681 ?

12. Un nouveau personnage apparaît au chapitre VI. Qu'apprend-on sur lui ?

ÉTUDIER LE VOCABULAIRE ET LA GRAMMAIRE

13. Dans le passage « *Anglais, à coup sûr* [...] *détruire les insectes nuisibles.* » (l. 16 à 36), relevez les mots exprimant la négation et donnez leur nature.

14. Cette succession de phrases négatives renforce une information qui est également à la forme négative. Laquelle ?

énumération : figure de style qui consiste à utiliser une succession de mots de même nature, séparés par une virgule.

15. Page 9, quelles sont les interrogations que suscite le personnage de Phileas Fogg ? Quel est l'effet visé ?

16. Dans le passage « *La maison de Saville-row* [...] *une régularité extraordinaire* » (l. 115 à 119), quel est le temps le plus utilisé ?

17. Dans le passage « *En ce moment, on frappa* [...] *lui demanda Phileas Fogg.* » (l. 135 à 141), quel est le temps le plus utilisé ?

18. Quelles sont les valeurs d'utilisation de ces temps dans ces passages ?

ÉTUDIER L'ÉCRITURE : L'ÉNUMÉRATION*

19. Pour décrire la maison de Saville-row, l'auteur utilise une énumération à la page 18. Laquelle ?

20. Quelle est la nature des mots qui la composent ?

21. À la page 23, relevez une autre énumération. Quel est son rôle ?

ÉTUDIER LA PLACE DE L'EXTRAIT DANS L'ŒUVRE

Quelle est la fonction des chapitres suivants dans le schéma narratif* ? Cochez la bonne réponse.

schéma narratif : plan d'un texte qui comporte généralement : une situation initiale, un élément perturbateur, une ou plusieurs péripéties, un élément de résolution, une situation finale.

22. Le chapitre I représente :

☐ la situation initiale
☐ l'élément perturbateur
☐ une péripétie

23. Le chapitre III représente :

☐ la situation initiale
☐ l'élément perturbateur
☐ une péripétie

À travers les forêts de l'Inde

L'inspecteur de police Fix est de plus en plus persuadé que Phileas Fogg et l'audacieux voleur qui a dérobé cinquante-cinq mille livres à la Banque d'Angleterre ne font qu'un. En attendant le mandat d'arrêt, qui lui permettra de le mettre sous les verrous, il essaie par tous les moyens de retenir le gentleman londonien sur le territoire britannique : il tente ainsi de l'empêcher d'obtenir son visa à Suez, questionne son domestique – dont les réponses maladroites ne font que renforcer ses certitudes –, enfin embarque lui aussi sur le Mongolia, paquebot en partance pour Bombay, en Inde, afin de ne pas perdre la trace de son suspect.

À Bombay, Passepartout commet un terrible impair, qui sera lourd de conséquences : il entre chaussé dans la pagode de Malebar-Hill. Vigoureusement chassé par des prêtres furieux, il parvient à s'échapper et à rejoindre son maître dans le train pour Calcutta. Le chemin de fer n'étant point achevé, les voyageurs sont contraints de continuer leur voyage à dos d'éléphant. Kiouni, que Phileas Fogg achète fort cher, les portera à travers la forêt indienne, guidés par un jeune Parsi et accompagnés du brigadier général Sir Francis Cromarty.

Chapitre XII

Le guide, afin d'abréger la distance à parcourir, laissa sur sa droite le tracé de la voie dont les travaux étaient en cours d'exécution. Ce tracé, très contrarié par les capricieuses ramifications des monts Vindhias, ne suivait pas le plus court chemin, que Phileas Fogg avait intérêt à prendre. Le Parsi[1], très familiarisé avec les routes et sentiers du pays, prétendait gagner une vingtaine de milles en coupant à travers la forêt, et on s'en rapporta à lui.

Phileas Fogg et Sir Francis Cromarty, enfouis jusqu'au cou dans leurs cacolets[2], étaient fort secoués par le trot raide de l'éléphant, auquel son mahout[3] imprimait une allure rapide. Mais ils enduraient la situation avec le flegme[4] le plus britannique, causant peu d'ailleurs, et se voyant à peine l'un l'autre.

Quant à Passepartout, posté sur le dos de la bête et directement soumis aux coups et contrecoups, il se gardait bien, sur une recommandation de son maître, de tenir sa langue entre ses dents, car elle eût été coupée net. Le brave garçon, tantôt lancé sur le cou de l'éléphant, tantôt rejeté sur la croupe, faisait de la voltige, comme un clown sur un tremplin. Mais il plaisantait, il riait au milieu de ses sauts de carpe, et, de temps en temps, il tirait de son sac un morceau de sucre, que l'intelligent Kiouni prenait du bout de sa trompe, sans interrompre un instant son trot régulier.

notes

1. **Parsi :** population originaire de Perse, qui vit en Inde.
2. **cacolets :** sièges fixés au dos des bêtes de charge, qui servent à transporter les voyageurs.
3. **mahout :** maître, guide et soigneur de l'éléphant.
4. **flegme :** comportement qui ne manifeste aucune émotion.

Les voyageurs sur le dos de Kiouni, l'éléphant.

Après deux heures de marche, le guide arrêta l'éléphant et lui donna une heure de repos. L'animal dévora des branchages et des arbrisseaux, après s'être d'abord désaltéré[1] à une mare voisine. Sir Francis Cromarty ne se plaignit pas de cette halte. Il était brisé. Mr. Fogg paraissait être aussi dispos[2] que s'il fût sorti de son lit.

« Mais il est donc de fer ! dit le brigadier général en le regardant avec admiration.

— De fer forgé », répondit Passepartout, qui s'occupa de préparer un déjeuner sommaire.

À midi, le guide donna le signal du départ. Le pays prit bientôt un aspect très sauvage. Aux grandes forêts succédèrent des taillis de tamarins[3] et de palmiers nains, puis de vastes plaines arides, hérissées de maigres arbrisseaux et semées de gros blocs de syénites[4]. Toute cette partie du haut Bundelkund, peu fréquentée des voyageurs, est habitée par une population fanatique[5], endurcie dans les pratiques les plus terribles de la région indoue. La domination des Anglais n'a pu s'établir régulièrement sur un territoire soumis à l'influence des rajahs[6], qu'il eût été difficile d'atteindre dans leurs inaccessibles retraites des Vindhias.

Plusieurs fois, on aperçut des bandes d'Indiens farouches, qui faisaient un geste de colère en voyant passer le rapide quadrupède. D'ailleurs, le Parsi les évitait autant que possible, les tenant pour des gens de mauvaise rencontre.

notes

1. *s'être [...] désaltéré :* avoir bu.
2. *dispos :* reposé.
3. *tamarins (tamariniers) :* grands arbres qui poussent dans les régions tropicales.

4. *syénites :* roches.
5. *fanatique :* qui croit de façon aveugle et intolérante en une doctrine ou une religion.

6. *rajahs :* nobles indiens.

On vit peu d'animaux pendant cette journée, à peine quelques singes, qui fuyaient avec mille contorsions et grimaces dont s'amusait fort Passepartout.

55 Une pensée au milieu de bien d'autres inquiétait ce garçon. Qu'est-ce que Mr. Fogg ferait de l'éléphant, quand il serait arrivé à la station d'Allahabad ? L'emmènerait-il ? Impossible ! Le prix du transport ajouté au prix d'acquisition en ferait un animal ruineux. Le vendrait-on,
60 le rendrait-on à la liberté ? Cette estimable bête méritait bien qu'on eût des égards pour elle. Si, par hasard, Mr. Fogg lui en faisait cadeau, à lui, Passepartout, il en serait très embarrassé. Cela ne laissait pas de le préoccuper.

À huit heures du soir, la principale chaîne des Vindhias
65 avait été franchie, et les voyageurs firent halte au pied du versant septentrional[1], dans un bungalow[2] en ruine.

La distance parcourue pendant cette journée était d'environ vingt-cinq milles, et il en restait autant à faire pour atteindre la station d'Allahabad.

70 La nuit était froide. À l'intérieur du bungalow, le Parsi alluma un feu de branches sèches, dont la chaleur fut très appréciée. Le souper se composa des provisions achetées à Kholby. Les voyageurs mangèrent en gens harassés et moulus[3]. La conversation, qui commença par quelques
75 phrases entrecoupées, se termina bientôt par des ronflements sonores. Le guide veilla près de Kiouni, qui s'endormit debout, appuyé au tronc d'un gros arbre.

Nul incident ne signala[4] cette nuit. Quelques rugissements de guépards et de panthères troublèrent parfois le silence,

---

notes

1. septentrional : situé au nord.
2. bungalow : maison indienne basse entourée de vérandas.

3. harassés , moulus : très fatigués, courbaturés.
4. signala : attira l'attention sur.

80 mêlés à des ricanements aigus de singes. Mais les carnassiers s'en tinrent à des cris et ne firent aucune démonstration hostile contre les hôtes du bungalow. Sir Francis Cromarty dormit lourdement comme un brave militaire rompu de fatigues. Passepartout, dans un sommeil agité, recom-
85 mença en rêve les culbutes de la veille. Quant à Mr. Fogg, il reposa aussi paisiblement que s'il eût été dans sa tranquille maison de Saville-row.

À six heures du matin, on se remit en marche. Le guide espérait arriver à la station d'Allahabad le soir même.
90 De cette façon, Mr. Fogg ne perdrait qu'une partie des quarante-huit heures économisées depuis le commencement du voyage.

On descendit les dernières rampes[1] des Vindhias. Kiouni avait repris son allure rapide. Vers midi, le guide tourna[2]
95 la bourgade de Kallenger, située sur le Cani, un des sous-affluents du Gange. Il évitait toujours les lieux habités, se sentant plus en sûreté dans ces campagnes désertes, qui marquent les premières dépressions[3] du bassin du grand fleuve. La station d'Allahabad n'était pas à douze milles dans
100 le nord-est. On fit halte sous un bouquet de bananiers, dont les fruits, aussi sains que le pain, « aussi succulents que la crème », disent les voyageurs, furent extrêmement appré-ciés.

À deux heures, le guide entra sous le couvert d'une épaisse
105 forêt, qu'il devait traverser sur un espace de plusieurs milles. Il préférait voyager ainsi à l'abri des bois. En tout cas, il n'avait fait jusqu'alors aucune rencontre fâcheuse,

notes

1. *rampes :* pentes.
2. *tourna :* contourna.

3. *dépressions :* parties basses situées sous le niveau de la mer.

et le voyage semblait devoir s'accomplir sans accident, quand l'éléphant, donnant quelques signes d'inquiétude, s'arrêta soudain.

Il était quatre heures alors.

« Qu'y a-t-il ? demanda Sir Francis Cromarty, qui releva la tête au-dessus de son cacolet.

– Je ne sais, mon officier », répondit le Parsi, en prêtant l'oreille à un murmure confus qui passait sous l'épaisse ramure[1].

Quelques instants après, ce murmure devint plus définissable. On eût dit un concert, encore fort éloigné, de voix humaines et d'instruments de cuivre.

Passepartout était tout yeux, tout oreilles. Mr. Fogg attendait patiemment, sans prononcer une parole.

Le Parsi sauta à terre, attacha l'éléphant à un arbre et s'enfonça au plus épais du taillis. Quelques minutes plus tard, il revint, disant :

« Une procession de brahmanes[2] qui se dirige de ce côté. S'il est possible, évitons d'être vus. »

Le guide détacha l'éléphant et le conduisit dans un fourré, en recommandant aux voyageurs de ne point mettre pied à terre. Lui-même se tint prêt à enfourcher rapidement sa monture, si la fuite devenait nécessaire. Mais il pensa que la troupe des fidèles passerait sans l'apercevoir, car l'épaisseur du feuillage le dissimulait entièrement.

Le bruit discordant des voix et des instruments se rapprochait. Des chants monotones se mêlaient au son des tambours et des cymbales. Bientôt la tête de la procession apparut sous les arbres, à une cinquantaine de pas du poste

notes

1. ramure : ensemble de branches.

2. brahmanes : membres de la caste indienne des prêtres.

occupé par Mr. Fogg et ses compagnons. Ils distinguaient aisément à travers les branches le curieux personnel de cette cérémonie religieuse.

140 En première ligne s'avançaient des prêtres, coiffés de mitres[1] et vêtus de longues robes chamarrées[2]. Ils étaient entourés d'hommes, de femmes, d'enfants, qui faisaient entendre une sorte de psalmodie[3] funèbre, interrompue à intervalles égaux par des coups de tam-tams et
145 de cymbales. Derrière eux, sur un char aux larges roues dont les rayons et la jante[4] figuraient un entrelacement de serpents, apparut une statue hideuse, traînée par deux couples de zébus[5] richement caparaçonnés[6]. Cette statue avait quatre bras ; le corps colorié d'un rouge sombre, les
150 yeux hagards[7], les cheveux emmêlés, la langue pendante, les lèvres teintes de henné[8] et de bétel[9]. À son cou s'enroulait un collier de têtes de mort, à ses flancs une ceinture de mains coupées. Elle se tenait debout sur un géant terrassé auquel le chef[10] manquait.

155 Sir Francis Cromarty reconnut cette statue.

« La déesse Kâli, murmura-t-il, la déesse de l'amour et de la mort.

– De la mort, j'y consens, mais de l'amour, jamais ! dit Passepartout. La vilaine bonne femme ! »
160 Le Parsi lui fit signe de se taire.

---

notes

1. *mitres :* coiffes de cérémonie des religieux.
2. *chamarrées :* très colorées.
3. *psalmodie :* chant religieux déclamé d'un ton monotone.
4. *jante :* périphérie de la roue

5. *zébus :* animaux de trait.
6. *caparaçonnés :* revêtus d'un harnais ou d'une armure d'ornement.
7. *hagards :* agrandis par la peur.
8. *henné :* plante dont l'écorce et les feuilles

fournissent une poudre colorante jaune ou rouge.
9. *bétel :* plante originaire de Malaisie.
10. *chef :* tête.

Autour de la statue s'agitait, se démenait, se convulsionnait un groupe de vieux fakirs[1], zébrés de bandes d'ocre, couverts d'incisions cruciales[2] qui laissaient échapper leur sang goutte à goutte, énergumènes[3] stupides qui, dans les grandes cérémonies indoues, se précipitent encore sous les roues du char de Jaggernaut[4].

Derrière eux, quelques brahmanes, dans toute la somptuosité de leur costume oriental, traînaient une femme qui se soutenait à peine.

Cette femme était jeune, blanche comme une Européenne. Sa tête, son cou, ses épaules, ses oreilles, ses bras, ses mains, ses orteils étaient surchargés de bijoux, colliers, bracelets, boucles et bagues. Une tunique lamée d'or[5], recouverte d'une mousseline légère, dessinait les contours de sa taille.

Derrière cette jeune femme – contraste violent pour les yeux –, des gardes armés de sabres nus passés à leur ceinture et de longs pistolets damasquinés[6], portaient un cadavre sur un palanquin[7].

C'était le corps d'un vieillard, revêtu de ses opulents habits de rajah, ayant, comme en sa vie, le turban[8] brodé de perles, la robe tissée de soie et d'or, la ceinture de cachemire[9] diamanté, et ses magnifiques armes de prince indien.

---

notes

1. fakirs : en Inde, personnes très religieuses qui vivent volontairement dans la pauvreté et s'infligent des blessures en public.
2. incisions cruciales : coupures en forme de croix.
3. énergumènes : personnes exaltées.

4. Jaggernaut : incarnation du dieu hindou Vishnou.
5. lamée d'or : dorée.
6. damasquinés : incrustés de petits filets d'or ou d'argent.
7. palanquin : chaise portée par un animal et servant de moyen de transport.

8. turban : coiffure d'homme faite d'une longue bande de tissu enroulée autour de la tête.
9. cachemire : tissu typique de la région indienne du Cachemire.

La procession de brahmanes.

Puis des musiciens et une arrière-garde de fanatiques, dont les cris couvraient parfois l'assourdissant fracas des instruments, fermaient le cortège.

Sir Francis Cromarty regardait toute cette pompe[1] d'un air singulièrement attristé, et se tournant vers le guide :

« Un sutty ! » dit-il.

Le Parsi fit un signe affirmatif et mit un doigt sur ses lèvres. La longue procession se déroula lentement sous les arbres, et bientôt ses derniers rangs disparurent dans la profondeur de la forêt.

Peu à peu, les chants s'éteignirent. Il y eut encore quelques éclats de cris lointains, et enfin à tout ce tumulte succéda un profond silence.

Phileas Fogg avait entendu ce mot, prononcé par Sir Francis Cromarty, et aussitôt que la procession eut disparu :

« Qu'est-ce qu'un sutty ? demanda-t-il.

— Un sutty, monsieur Fogg, répondit le brigadier général, c'est un sacrifice humain, mais un sacrifice volontaire. Cette femme que vous venez de voir sera brûlée demain aux premières heures du jour.

— Ah ! les gueux ! s'écria Passepartout, qui ne put retenir ce cri d'indignation.

— Et ce cadavre ? demanda Mr. Fogg.

— C'est celui du prince, son mari, répondit le guide, un rajah indépendant du Bundelkund.

— Comment ! reprit Phileas Fogg, sans que sa voix trahît la moindre émotion, ces barbares coutumes subsistent encore dans l'Inde, et les Anglais n'ont pu les détruire ?

— Dans la plus grande partie de l'Inde, répondit Sir Francis Cromarty, ces sacrifices ne s'accomplissent plus, mais nous

note

1. pompe : luxe, éclat.

n'avons aucune influence sur ces contrées sauvages, et principalement sur ce territoire du Bundelkund. Tout le revers
septentrional des Vindhias est le théâtre de meurtres
et de pillages incessants.

– La malheureuse ! murmurait Passepartout, brûlée vive !

– Oui, reprit le brigadier général, brûlée, et si elle ne l'était
pas, vous ne sauriez croire à quelle misérable condition elle
se verrait réduite par ses proches. On lui raserait les cheveux,
on la nourrirait à peine de quelques poignées de riz,
on la repousserait, elle serait considérée comme une créa-
ture immonde et mourrait dans quelque coin comme
un chien galeux. Aussi la perspective de cette affreuse existence pousse-t-elle souvent ces malheureuses au supplice,
bien plus que l'amour ou le fanatisme religieux. Quelquefois, cependant, le sacrifice est réellement volontaire,
et il faut l'intervention énergique du gouvernement pour
l'empêcher. Ainsi, il y a quelques années, je résidais
à Bombay, quand une jeune veuve vint demander
au gouverneur l'autorisation de se brûler avec le corps
de son mari. Comme vous le pensez bien, le gouverneur
refusa. Alors la veuve quitta la ville, se réfugia chez un rajah
indépendant, et là elle consomma[1] son sacrifice. »

Pendant le récit du brigadier général, le guide secouait
la tête, et, quand le récit fut achevé :

« Le sacrifice qui aura lieu demain au lever du jour n'est
pas volontaire, dit-il.

– Comment le savez-vous ?

– C'est une histoire que tout le monde connaît dans
le Bundelkund, répondit le guide.

note

1. consomma : accomplit.

– Cependant cette infortunée ne paraissait faire aucune résistance, fit observer Sir Francis Cromarty.

245 – Cela tient à ce qu'on l'a enivrée de la fumée du chanvre et de l'opium[1].

– Mais où la conduit-on ?

– À la pagode[2] de Pillaji, à deux milles d'ici. Là, elle passera la nuit en attendant l'heure du sacrifice.

250 – Et ce sacrifice aura lieu ?...

– Demain, dès la première apparition du jour. »

Après cette réponse, le guide fit sortir l'éléphant de l'épais fourré et se hissa sur le cou de l'animal. Mais au moment où il allait l'exciter par un sifflement particulier, Mr. Fogg

255 l'arrêta, et, s'adressant à Sir Francis Cromarty :

« Si nous sauvions cette femme ? dit-il.

– Sauver cette femme, monsieur Fogg !... s'écria le brigadier général.

– J'ai encore douze heures d'avance. Je puis les consacrer

260 à cela.

– Tiens ! Mais vous êtes un homme de cœur ! dit Sir Francis Cromarty.

– Quelquefois, répondit simplement Phileas Fogg. Quand j'ai le temps. »

Chapitre XIII

265 Le dessein[3] était hardi, hérissé de difficultés, impraticable peut-être. Mr. Fogg allait risquer sa vie, ou tout au moins sa liberté, et par conséquent la réussite de ses projets, mais

notes

1. *chanvre, opium :* plantes qui sont aussi des drogues.

2. *pagode :* temple des pays d'Extrême-Orient.

3. *dessein :* projet.

il n'hésita pas. Il trouva, d'ailleurs, dans Sir Francis Cromarty, un auxiliaire[1] décidé.

270 Quant à Passepartout, il était prêt, on pouvait disposer de lui. L'idée de son maître l'exaltait. Il sentait un cœur, une âme sous cette enveloppe de glace. Il se prenait à aimer Phileas Fogg.

Restait le guide. Quel parti prendrait-il dans l'affaire ?
275 Ne serait-il pas porté pour[2] les Indous ? À défaut de son concours, il fallait au moins s'assurer sa neutralité.

Sir Francis Cromarty lui posa franchement la question.

« Mon officier, répondit le guide, je suis Parsi, et cette femme est Parsie. Disposez de moi.

280 — Bien, guide, répondit Mr. Fogg.

— Toutefois, sachez-le bien, reprit le Parsi, non seulement nous risquons notre vie, mais des supplices horribles, si nous sommes pris. Ainsi, voyez.

— C'est vu, répondit Mr. Fogg. Je pense que nous devrons
285 attendre la nuit pour agir ?

— Je le pense aussi », répondit le guide.

Ce brave Indou donna alors quelques détails sur la victime. C'était une Indienne d'une beauté célèbre, de race parsie, fille de riches négociants de Bombay. Elle
290 avait reçu dans cette ville une éducation absolument anglaise, et à ses manières, à son instruction, on l'eût crue Européenne. Elle se nommait Aouda.

Orpheline, elle fut mariée malgré elle à ce vieux rajah du Bundelkund. Trois mois après, elle devint veuve.
295 Sachant le sort qui l'attendait, elle s'échappa, fut reprise aussitôt, et les parents[3] du rajah, qui avaient intérêt à sa mort,

notes

1. *auxiliaire :* aide.　2. *être porté pour :* prendre le parti de.　3. *parents :* famille, héritiers.

la vouèrent à ce supplice auquel il ne semblait pas qu'elle pût échapper.

Ce récit ne pouvait qu'enraciner Mr. Fogg et ses compagnons dans leur généreuse résolution. Il fut décidé que le guide dirigerait l'éléphant vers la pagode de Pillaji, dont il se rapprocherait autant que possible.

Une demi-heure après, halte fut faite sous un taillis, à cinq cents pas de la pagode, que l'on ne pouvait apercevoir ; mais les hurlements des fanatiques se laissaient entendre distinctement.

Les moyens de parvenir jusqu'à la victime furent alors discutés. Le guide connaissait cette pagode de Pillaji, dans laquelle il affirmait que la jeune femme était emprisonnée. Pourrait-on y pénétrer par une des portes, quand toute la bande serait plongée dans le sommeil de l'ivresse, ou faudrait-il pratiquer un trou dans une muraille ? C'est ce qui ne pourrait être décidé qu'au moment et au lieu mêmes. Mais ce qui ne fit aucun doute, c'est que l'enlèvement devait s'opérer cette nuit même, et non quand, le jour venu, la victime serait conduite au supplice. À cet instant, aucune intervention humaine n'eût pu la sauver.

Mr. Fogg et ses compagnons attendirent la nuit. Dès que l'ombre se fit, vers six heures du soir, ils résolurent d'opérer une reconnaissance autour de la pagode. Les derniers cris des fakirs s'éteignaient alors. Suivant leur habitude, ces Indiens devaient être plongés dans l'épaisse ivresse du « hang » – opium liquide, mélangé d'une infusion de chanvre –, et il serait peut-être possible de se glisser entre eux jusqu'au temple.

Le Parsi, guidant Mr. Fogg, Sir Francis Cromarty et Passepartout, s'avança sans bruit à travers la forêt. Après dix minutes de reptation sous les ramures, ils arrivèrent au bord

d'une petite rivière, et là, à la lueur de torches de fer
330 à la pointe desquelles brûlaient des résines, ils aperçurent
un monceau de bois empilé. C'était le bûcher, fait
de précieux santal[1], et déjà imprégné d'une huile parfumée.
À sa partie supérieure, reposait le corps embaumé du rajah,
qui devait être brûlé en même temps que sa veuve. À cent
335 pas de ce bûcher s'élevait la pagode, dont les minarets
perçaient dans l'ombre la cime des arbres.

« Venez ! » dit le guide à voix basse.

Et, redoublant de précaution, suivi de ses compagnons,
il se glissa silencieusement à travers les grandes herbes.

340 Le silence n'était plus interrompu que par le murmure
du vent dans les branches.

Bientôt le guide s'arrêta à l'extrémité d'une clairière.
Quelques résines éclairaient la place. Le sol était jonché
de groupes de dormeurs, appesantis par l'ivresse. On eût dit
345 un champ de bataille couvert de morts. Hommes, femmes,
enfants, tout était confondu. Quelques ivrognes râlaient
encore çà et là.

À l'arrière-plan, entre la masse des arbres, le temple
de Pillaji se dressait confusément. Mais au grand désappoin-
350 tement du guide, les gardes des rajahs, éclairés par des
torches fuligineuses[2], veillaient aux portes et se promenaient, le sabre nu. On pouvait supposer qu'à l'intérieur les
prêtres veillaient aussi.

Le Parsi ne s'avança pas plus loin. Il avait reconnu l'impos-
355 sibilité de forcer l'entrée du temple, et il ramena ses compagnons en arrière.

notes

1. *santal :* bois précieux.   2. *fuligineuses :* noires
comme la suie.

Phileas Fogg et Sir Francis Cromarty avaient compris comme lui qu'ils ne pouvaient rien tenter de ce côté.

Ils s'arrêtèrent et s'entretinrent à voix basse.

360 « Attendons, dit le brigadier général, il n'est que huit heures encore, et il est possible que ces gardes succombent aussi au sommeil.

– Cela est possible, en effet », répondit le Parsi.

Phileas Fogg et ses compagnons s'étendirent donc au pied
365 d'un arbre et attendirent.

Le temps leur parut long ! Le guide les quittait parfois et allait observer la lisière du bois. Les gardes du rajah veillaient toujours à la lueur des torches, et une vague lumière filtrait à travers les fenêtres de la pagode.

370 On attendit ainsi jusqu'à minuit. La situation ne changea pas. Même surveillance au-dehors. Il était évident qu'on ne pouvait compter sur l'assoupissement des gardes. L'ivresse du « hang » leur avait été probablement épargnée. Il fallait donc agir autrement et pénétrer par une ouverture
375 pratiquée aux murailles de la pagode. Restait la question de savoir si les prêtres veillaient auprès de leur victime avec autant de soin que les soldats à la porte du temple.

Après une dernière conversation, le guide se dit prêt à partir. Mr. Fogg, Sir Francis Cromarty et Passepartout
380 le suivirent. Ils firent un détour assez long, afin d'atteindre la pagode par son chevet[1].

Vers minuit et demi, ils arrivèrent au pied des murs sans avoir rencontré personne. Aucune surveillance n'avait été établie de ce côté, mais il est vrai de dire que fenêtres
385 et portes manquaient absolument.

note

1. chevet : arrière d'un bâtiment.

La nuit était sombre. La lune, alors dans son dernier quartier, quittait à peine l'horizon, encombré de gros nuages. La hauteur des arbres accroissait encore l'obscurité.

Mais il ne suffisait pas d'avoir atteint le pied des murailles, il fallait encore y pratiquer une ouverture. Pour cette opération, Phileas Fogg et ses compagnons n'avaient absolument que leurs couteaux de poche. Très heureusement, les parois du temple se composaient d'un mélange de briques et de bois qui ne pouvait être difficile à percer. La première brique une fois enlevée, les autres viendraient facilement.

On se mit à la besogne, en faisant le moins de bruit possible. Le Parsi, d'un côté, Passepartout, de l'autre, travaillaient à desceller les briques, de manière à obtenir une ouverture large de deux pieds[1].

Le travail avançait, quand un cri se fit entendre à l'intérieur du temple, et presque aussitôt d'autres cris lui répondirent du dehors.

Passepartout et le guide interrompirent leur travail. Les avait-on surpris ? L'éveil était-il donné ? La plus vulgaire[2] prudence leur commandait de s'éloigner, – ce qu'ils firent en même temps que Phileas Fogg et Sir Francis Cromarty. Ils se blottirent de nouveau sous le couvert du bois, attendant que l'alerte, si c'en était une, se fût dissipée, et prêts, dans ce cas, à reprendre leur opération.

Mais – contretemps funeste – des gardes se montrèrent au chevet de la pagode, et s'y installèrent de manière à empêcher toute approche.

Il serait difficile de décrire le désappointement de ces quatre hommes, arrêtés dans leur œuvre. Maintenant qu'ils

---

notes

1. pieds : ancienne unité de mesure de la longueur, valant 0,3248 m.

2. vulgaire : élémentaire.

415 ne pouvaient plus parvenir jusqu'à la victime, comment la sauveraient-ils ? Sir Francis Cromarty se rongeait les poings. Passepartout était hors de lui, et le guide avait quelque peine à le contenir. L'impassible Fogg attendait sans manifester ses sentiments.

420 « N'avons-nous plus qu'à partir ? demanda le brigadier général à voix basse.

— Nous n'avons plus qu'à partir, répondit le guide.

— Attendez, dit Fogg. Il suffit que je sois demain à Allahabad avant midi.

425 — Mais qu'espérez-vous ? répondit Sir Francis Cromarty. Dans quelques heures le jour va paraître, et...

— La chance qui nous échappe peut se présenter au moment suprême. »

Le brigadier général aurait voulu pouvoir lire dans les yeux 430 de Phileas Fogg.

Sur quoi comptait donc ce froid Anglais ? Voulait-il, au moment du supplice, se précipiter vers la jeune femme et l'arracher ouvertement à ses bourreaux ?

C'eût été une folie, et comment admettre que cet homme 435 fût fou à ce point ? Néanmoins, Sir Francis Cromarty consentit à attendre jusqu'au dénouement de cette terrible scène. Toutefois, le guide ne laissa pas ses compagnons à l'endroit où ils s'étaient réfugiés, et il les ramena vers la partie antérieure de la clairière. Là, abrités par un bouquet 440 d'arbres, ils pouvaient observer les groupes endormis.

Cependant Passepartout, juché sur les premières branches d'un arbre, ruminait une idée qui avait d'abord traversé son esprit comme un éclair, et qui finit par s'incruster dans son cerveau.

445 Il avait commencé par se dire : « Quelle folie ! » et maintenant il répétait : « Pourquoi pas, après tout ? C'est une chance, peut-être la seule, et avec de tels abrutis !... »

En tout cas, Passepartout ne formula pas autrement sa pensée, mais il ne tarda pas à se glisser avec la souplesse 450 d'un serpent sur les basses branches de l'arbre dont l'extrémité se courbait vers le sol.

Les heures s'écoulaient, et bientôt quelques nuances moins sombres annoncèrent l'approche du jour. Cependant l'obscurité était profonde encore.

455 C'était le moment. Il se fit comme une résurrection dans cette foule assoupie. Les groupes s'animèrent. Des coups de tam-tam retentirent. Chants et cris éclatèrent de nouveau. L'heure était venue à laquelle l'infortunée allait mourir.

En effet, les portes de la pagode s'ouvrirent. Une lumière 460 plus vive s'échappa de l'intérieur. Mr. Fogg et Sir Francis Cromarty purent apercevoir la victime, vivement éclairée, que deux prêtres traînaient au-dehors. Il leur sembla même que, secouant l'engourdissement de l'ivresse par un suprême instinct de conservation, la malheureuse tentait d'échapper 465 à ses bourreaux. Le cœur de Sir Francis Cromarty bondit, et par un mouvement convulsif, saisissant la main de Phileas Fogg, il sentit que cette main tenait un couteau ouvert.

En ce moment, la foule s'ébranla. La jeune femme était retombée dans cette torpeur[1] provoquée par les fumées 470 de chanvre. Elle passa à travers les fakirs, qui l'escortaient de leurs vociférations[2] religieuses.

Phileas Fogg et ses compagnons, se mêlant aux derniers rangs de la foule, la suivirent.

notes

1. *torpeur :* engourdissement.

2. *vociférations :* cris de colère.

Deux minutes après, ils arrivaient sur le bord de la rivière
et s'arrêtaient à moins de cinquante pas du bûcher, sur lequel
était couché le corps du rajah. Dans la demi-obscurité, ils
virent la victime absolument inerte, étendue auprès
du cadavre de son époux.

Puis une torche fut approchée, et le bois, imprégné
d'huile, s'enflamma aussitôt.

À ce moment, Sir Francis Cromarty et le guide retinrent
Phileas Fogg, qui, dans un moment de folie généreuse,
s'élançait vers le bûcher...

Mais Phileas Fogg les avait déjà repoussés, quand la scène
changea soudain. Un cri de terreur s'éleva. Toute cette foule
se précipita à terre, épouvantée.

Le vieux rajah n'était donc pas mort, qu'on le vît
se redresser tout à coup, comme un fantôme, soulever
la jeune femme dans ses bras, descendre du bûcher au milieu
des tourbillons de vapeurs qui lui donnaient une apparence
spectrale[1] ?

Les fakirs, les gardes, les prêtres, pris d'une terreur subite,
étaient là, face à terre, n'osant lever les yeux et regarder
un tel prodige !

La victime inanimée passa entre les bras vigoureux qui
la portaient, et sans qu'elle parût leur peser. Mr. Fogg et Sir
Francis Cromarty étaient demeurés debout. Le Parsi avait
courbé la tête, et Passepartout, sans doute, n'était pas moins
stupéfié !...

Ce ressuscité arriva ainsi près de l'endroit où se tenaient
Mr. Fogg et Sir Francis Cromarty, et là, d'une voix brève :

« Filons !... » dit-il.

note

1. spectrale : qui ressemble à
un spectre, un fantôme.

L'apparition du bûcher.

C'était Passepartout lui-même qui s'était glissé vers le bûcher au milieu de la fumée épaisse ! C'était Passepartout qui, profitant de l'obscurité profonde encore, avait arraché la jeune femme à la mort ! C'était Passepartout qui, jouant son rôle avec un audacieux bonheur, passait au milieu de l'épouvante générale !

Un instant après, tous quatre disparaissaient dans le bois, et l'éléphant les emportait d'un trot rapide. Mais des cris, des clameurs et même une balle, perçant le chapeau de Phileas Fogg, leur apprirent que la ruse était découverte.

En effet, sur le bûcher enflammé se détachait alors le corps du vieux rajah. Les prêtres, revenus de leur frayeur, avaient compris qu'un enlèvement venait de s'accomplir.

Aussitôt ils s'étaient précipités dans la forêt. Les gardes les avaient suivis. Une décharge[1] avait eu lieu, mais les ravisseurs fuyaient rapidement, et, en quelques instants, ils se trouvaient hors de la portée des balles et des flèches.

notes

1. décharge : détonation, tir.

Au fil du texte

QUE S'EST-IL PASSÉ ENTRE-TEMPS P. 49 ?

1. Quel est le but de l'inspecteur Fix ?

2. Quels moyens met-il en œuvre pour l'atteindre ?

3. Après Suez, quelle est la prochaine destination de Phileas Fogg ?

4. Quel moyen de transport utilise-t-il pour l'atteindre ?

5. Quel impair lourd de conséquences Passepartout commet-il ?

AVEZ-VOUS BIEN LU ?

6. Quelle contrée les voyageurs traversent-ils à dos d'éléphant ?

7. Qui rencontrent-ils ?

8. Quelle décision Phileas Fogg prend-il ?

9. Quelles pourraient en être les conséquences ?

10. Que révèle cette décision sur le caractère du personnage ?

11. Qu'apprend-on sur la victime du sacrifice humain ?

12. Comment est-elle sauvée ?

Étudier le vocabulaire et la grammaire

13. Relevez le passage qui donne la définition du mot « sutty » (l. 201).

14. Dans le passage « *Les prêtres* [...] *des balles et des flèches* » (l. 514 à 519), relevez les verbes au plus-que-parfait.

15. Par rapport aux verbes à l'imparfait de ce passage, quelle est la valeur des verbes au plus-que-parfait ?

Étudiez un thème : l'Empire colonial britannique

16. À Malebar-Hill, Passepartout commet un impair dont il ne saisit absolument pas la portée. Comment expliquez-vous sa réaction ?

17. L'Inde bénéficie des progrès technologiques de la Grande-Bretagne, mais pas au même rythme. Quel renseignement dans le résumé le prouve ?

18. Qu'apprend-on sur les coutumes mortuaires traditionnelles, en Inde ?

19. Que révèle l'incident raconté sur la politique de la Grande-Bretagne, par rapport aux coutumes ancestrales des populations colonisées ?

LIRE L'IMAGE

20. Sur l'image de la page 51, qui sont les personnages représentés ?

21. Comparez leurs attitudes dans cette situation inhabituelle. Comment réagit chacun d'entre eux ?

22. Quel est le personnage féminin illustré page 58 ?

23. Que suggère son attitude ?

24. Que représente l'image de la page 70 ?

25. Quelle réaction cette image vous inspire-t-elle ?

Passepartout contre Fix

Pour mettre à l'abri Mrs. Aouda, les voyageurs décident de l'emmener avec eux. À Allahabad, ils reprennent le train et parviennent enfin à Calcutta, après un trajet sans histoire. Là, ils pensent embarquer sur le Rangoon, en partance pour Hong-Kong, où la jeune femme pourrait être accueillie par un parent. Mais l'inspecteur Fix les a devancés à Calcutta et a prêté main-forte aux prêtres de la pagode de Malebar-Hill : Phileas Fogg et son domestique sont arrêtés, ce dernier étant accusé d'avoir profané un lieu saint, en y rentrant chaussé. Le policier compte ainsi retenir son suspect, le temps de recevoir le mandat d'arrestation. Mais, une fois de plus, l'Anglais lui échappe : il est libéré, après avoir payé une forte caution.

En embarquant à son tour sur le Rangoon, Fix éveille les soupçons de Passepartout, qui commence à s'interroger sur les raisons de sa présence dans chaque ville qu'ils traversent. Cependant, le Français se méprend en concluant qu'il s'agit d'un agent mandaté par les membres du Reform- Club pour vérifier si Phileas Fogg respecte bien les termes de leur pari.

Bien que retardés par une tempête, les voyageurs rejoignent Hong-Kong, où ils comptent embarquer sur le Carnatic, paquebot *en partance pour Yokohama, au Japon. Mrs. Aouda les accompagne, car son parent a déménagé en Europe. Fix, quant à lui, ne quitte pas son suspect d'une semelle...*

Chapitre XIX

Hong-Kong n'est qu'un îlot, dont le traité de Nanking, après la guerre de 1842, assura la possession à l'Angleterre. En quelques années, le génie colonisateur de la Grande-Bretagne y avait fondé une ville importante et créé un port, le port Victoria. Cette île est située à l'embouchure[1] de la rivière de Canton, et soixante milles seulement la séparent de la cité portugaise de Macao, bâtie sur l'autre rive. Hong-Kong devait nécessairement vaincre Macao dans une lutte commerciale, et maintenant la plus grande partie du transit chinois s'opère par la ville anglaise. Des docks, des hôpitaux, des wharfs[2], des entrepôts, une cathédrale gothique, un « government-house[3] », des rues macadamisées[4], tout ferait croire qu'une des cités commerçantes des comtés de Kent ou de Surrey, traversant le sphéroïde[5] terrestre, est venue ressortir en ce point de la Chine, presque à ses antipodes[6].

Passepartout, les mains dans les poches, se rendit donc vers le port de Victoria, regardant les palanquins, les brouettes à voile, encore en faveur dans le Céleste Empire, et toute

notes

1. embouchure : ouverture par laquelle un cours d'eau se jette dans une mer ou un lac.
2. wharfs : appontements qui s'avancent dans la mer,
pour permettre aux navires d'accoster.
3. « governement-house » : bâtiment officiel.
4. macadamisées : recouvertes de bitume.

5. sphéroïde : globe.
6. antipodes : points du globe diamétralement opposés.

20 cette foule de Chinois, de Japonais et d'Européens, qui se pressait dans les rues. À peu de choses près, c'était encore Bombay, Calcutta ou Singapore, que le digne garçon retrouvait sur son parcours. Il y a ainsi comme une traînée de villes anglaises tout autour du monde.

25 Passepartout arriva au port Victoria. Là, à l'embouchure de la rivière de Canton, c'était un fourmillement de navires de toutes nations, des anglais, des français, des américains, des hollandais, bâtiments de guerre et de commerce, des embarcations japonaises ou chinoises, des jonques[1],

30 des sampans, des tankas[2], et même des bateaux-fleurs qui formaient autant de parterres flottants sur les eaux. En se promenant, Passepartout remarqua un certain nombre d'indigènes vêtus de jaune, tous très avancés en âge. Étant entré chez un barbier chinois pour se faire raser « à

35 la chinoise », il apprit par le Figaro[3] de l'endroit, qui parlait un assez bon anglais, que ces vieillards avaient tous quatre-vingts ans au moins, et qu'à cet âge ils avaient le privilège de porter la couleur jaune, qui est la couleur impériale. Passepartout trouva cela fort drôle, sans trop savoir pour-

40 quoi.

Sa barbe faite, il se rendit au quai d'embarquement du *Carnatic*, et là il aperçut Fix qui se promenait de long en large, ce dont il ne fut point étonné. Mais l'inspecteur de police laissait voir sur son visage les marques d'un vif

45 désappointement.

notes

1. jonques : voiliers d'Extrême-Orient.
2. sampans, tankas : embarcations asiatiques.

3. Figaro : personnage dans la pièce de Beaumarchais *Le Barbier de Séville* ; ici : le coiffeur.

« Bon ! se dit Passepartout, cela va mal pour les gentlemen du Reform-Club ! »

Et il accosta Fix avec son joyeux sourire, sans vouloir remarquer l'air vexé de son compagnon.

50 Or, l'agent avait de bonnes raisons pour pester contre l'infernale chance qui le poursuivait. Pas de mandat ! Il était évident que le mandat courait après lui, et ne pourrait l'atteindre que s'il séjournait quelques jours en cette ville. Or, Hong-Kong étant la dernière terre anglaise du parcours,
55 le sieur Fogg allait lui échapper définitivement, s'il ne parvenait pas à l'y retenir.

« Eh bien, monsieur Fix, êtes-vous décidé à venir avec nous jusqu'en Amérique ? demanda Passepartout.

– Oui, répondit Fix les dents serrées.

60 – Allons donc ! s'écria Passepartout en faisant entendre un retentissant éclat de rire. Je savais bien que vous ne pourriez pas vous séparer de nous. Venez retenir votre place, venez ! »

Et tous deux entrèrent au bureau des transports maritimes
65 et arrêtèrent des cabines pour quatre personnes. Mais l'employé leur fit observer que les réparations du *Carnatic* étant terminées, le paquebot partirait le soir même à huit heures, et non le lendemain matin, comme il avait été annoncé.

70 « Très bien ! répondit Passepartout, cela arrangera mon maître. Je vais le prévenir. »

À ce moment, Fix prit un parti extrême. Il résolut de tout dire à Passepartout. C'était le seul moyen peut-être qu'il eût de retenir Phileas Fogg pendant quelques jours à Hong-
75 Kong.

En quittant le bureau, Fix offrit à son compagnon de se rafraîchir dans une taverne[1]. Passepartout avait le temps. Il accepta l'invitation de Fix.

Une taverne s'ouvrait sur le quai. Elle avait un aspect engageant. Tous deux y entrèrent. C'était une vaste salle bien décorée, au fond de laquelle s'étendait un lit de camp, garni de coussins. Sur ce lit étaient rangés un certain nombre de dormeurs.

Une trentaine de consommateurs occupaient dans la grande salle de petites tables en jonc tressé. Quelques-uns vidaient des pintes[2] de bière anglaise, ale[3] ou porter[4], d'autres, des brocs[5] de liqueurs alcooliques, gin[6] ou brandy[7]. En outre, la plupart fumaient de longues pipes de terre rouge, bourrées de petites boulettes d'opium mélangé d'essence de rose. Puis, de temps en temps, quelque fumeur énervé glissait sous la table, et les garçons de l'établissement, le prenant par les pieds et par la tête, le portaient sur le lit de camp près d'un confrère. Une vingtaine de ces ivrognes étaient ainsi rangés côte à côte, dans le dernier degré d'abrutissement.

Fix et Passepartout comprirent qu'ils étaient entrés dans une tabagie[8] hantée de ces misérables, hébétés, amaigris, idiots, auxquels la mercantile[9] Angleterre vend annuellement pour deux cent soixante millions de francs de cette funeste drogue qui s'appelle l'opium ! Tristes millions que ceux-là, prélevés sur un des plus funestes vices de la nature humaine.

notes

1. taverne : bar.
2. pintes : récipients contenant une pinte (ancienne mesure anglo-saxonne) de boisson.
3. ale : bière anglaise blonde.

4. porter : bière anglaise brune.
5. brocs : récipients profonds à bec évasé.
6. gin : alcool à goût de genièvre.

7. brandy : eau-de-vie de raisins.
8. tabagie : fumerie, endroit où l'on fume de l'opium.
9. mercantile : commerçante.

Le gouvernement chinois a bien essayé de remédier à un tel abus par des lois sévères, mais en vain. De la classe riche, à laquelle l'usage de l'opium était d'abord formellement réservé, cet usage descendit jusqu'aux classes inférieures, et les ravages ne purent plus être arrêtés. On fume l'opium partout et toujours dans l'empire du Milieu. Hommes et femmes s'adonnent à cette passion déplorable, et lorsqu'ils sont accoutumés à cette inhalation[1], ils ne peuvent plus s'en passer, à moins d'éprouver d'horribles contractions de l'estomac. Un grand fumeur peut fumer jusqu'à huit pipes par jour, mais il meurt en cinq ans.

Or, c'était dans une des nombreuses tabagies de ce genre, qui pullulent, même à Hong-Kong, que Fix et Passepartout étaient entrés avec l'intention de se rafraîchir. Passepartout n'avait pas d'argent, mais il accepta volontiers la « politesse »[2] de son compagnon, quitte à la lui rendre en temps et lieu.

On demanda deux bouteilles de porto, auxquelles le Français fit largement honneur, tandis que Fix, plus réservé, observait son compagnon avec une extrême attention. On causa de choses et d'autres, et surtout de cette excellente idée qu'avait eue Fix de prendre passage sur le *Carnatic*. Et à propos de ce steamer, dont le départ se trouvait avancé de quelques heures, Passepartout, les bouteilles étant vides, se leva, afin d'aller prévenir son maître.

Fix le retint.

« Un instant, dit-il.

— Que voulez-vous, monsieur Fix ?

— J'ai à vous parler de choses sérieuses.

---

notes

1. *inhalation* : absorption par les voies respiratoires.

2. « *politesse* » : invitation.

Dans une tabagie de Hong-Kong.

– De choses sérieuses ! s'écria Passepartout en vidant quelques gouttes de vin restées au fond de son verre. Eh bien, nous en parlerons demain. Je n'ai pas le temps aujourd'hui.

135 – Restez, répondit Fix. Il s'agit de votre maître ! »

Passepartout, à ce mot, regarda attentivement son interlocuteur.

L'expression du visage de Fix lui parut singulière. Il se rassit.

140 « Qu'est-ce donc que vous avez à me dire ? » demanda-t-il.

Fix appuya sa main sur le bras de son compagnon, et, baissant la voix :

« Vous avez deviné qui j'étais ? lui demanda-t-il.

145 – Parbleu ! dit Passepartout en souriant.

– Alors je vais tout vous avouer...

– Maintenant que je sais tout, mon compère ! Ah ! voilà qui n'est pas fort ! Enfin, allez toujours. Mais auparavant, laissez-moi vous dire que ces gentlemen se sont mis en frais[1]

150 bien inutilement !...

– Inutilement ! dit Fix. Vous en parlez à votre aise ! On voit bien que vous ne connaissez pas l'importance de la somme !

– Mais si, je la connais, répondit Passepartout. Vingt mille

155 livres !

– Cinquante-cinq mille ! reprit Fix, en serrant la main du Français.

note

1. se sont mis en frais : ont dépensé de l'argent.

– Quoi ! s'écria Passepartout, Mr. Fogg aurait osé !...
Cinquante-cinq mille livres !... Eh bien ! raison de plus pour
ne pas perdre un instant, ajouta-t-il en se levant de nouveau.

– Cinquante-cinq mille livres ! reprit Fix, qui força Passepartout à se rasseoir, après avoir fait apporter un flacon
de brandy – et si je réussis, je gagne une prime de deux mille
livres. En voulez-vous cinq cents (12 500 fr.) à la condition
de m'aider ?

– Vous aider ? s'écria Passepartout, dont les yeux étaient
démesurément ouverts.

– Oui, m'aider à retenir le sieur Fogg pendant quelques
jours à Hong-Kong !

– Hein ! fit Passepartout, que dites-vous là ? Comment !
non content de faire suivre mon maître, de suspecter
sa loyauté, ces gentlemen veulent encore lui susciter des
obstacles ! J'en suis honteux pour eux !

– Ah çà ! que voulez-vous dire ? demanda Fix.

– Je veux dire que c'est de la pure indélicatesse. Autant
dépouiller Mr. Fogg, et lui prendre l'argent dans la poche !

– Eh ! c'est bien à cela que nous comptons arriver !

– Mais c'est un guet-apens ! s'écria Passepartout – qui
s'animait alors sous l'influence du brandy que lui servait Fix,
et qu'il buvait sans s'en apercevoir – un guet-apens véritable ! Des gentlemen ! des collègues ! »

Fix commençait à ne plus comprendre.

« Des collègues ! s'écria Passepartout, des membres
du Reform-Club ! Sachez, monsieur Fix, que mon maître
est un honnête homme, et que, quand il a fait un pari, c'est
loyalement qu'il prétend le gagner.

– Mais qui croyez-vous donc que je sois ? demanda Fix,
en fixant son regard sur Passepartout.

– Parbleu ! un agent des membres du Reform-Club, qui a mission de contrôler l'itinéraire de mon maître, ce qui est singulièrement humiliant ! Aussi, bien que, depuis quelque temps déjà, j'aie deviné votre qualité, je me suis bien gardé de la révéler à Mr. Fogg !

– Il ne sait rien ?... demanda vivement Fix.

– Rien », répondit Passepartout en vidant encore une fois son verre.

L'inspecteur de police passa sa main sur son front. Il hésitait avant de reprendre la parole. Que devait-il faire ?

L'erreur de Passepartout semblait sincère, mais elle rendait son projet plus difficile. Il était évident que ce garçon parlait avec une absolue bonne foi, et qu'il n'était point le complice de son maître, – ce que Fix aurait pu craindre.

« Eh bien, se dit-il, puisqu'il n'est pas son complice, il m'aidera. »

Le détective avait une seconde fois pris son parti. D'ailleurs, il n'avait plus le temps d'attendre. À tout prix, il fallait arrêter Fogg à Hong-Kong.

« Écoutez, dit Fix d'une voix brève, écoutez-moi bien. Je ne suis pas ce que vous croyez, c'est-à-dire un agent des membres du Reform-Club...

– Bah ! dit Passepartout en le regardant d'un air goguenard[1].

– Je suis un inspecteur de police, chargé d'une mission par l'administration métropolitaine...

– Vous... inspecteur de police !...

– Oui, et je le prouve, reprit Fix. Voici ma commission[2]. »

Et l'agent, tirant un papier de son portefeuille, montra à son compagnon une commission signée du directeur

notes

1. goguenard : moqueur. **2. commission :** mandat.

de la police centrale. Passepartout, abasourdi, regardait Fix, sans pouvoir articuler une parole.

« Le pari du sieur Fogg, reprit Fix, n'est qu'un prétexte dont vous êtes dupes, vous et ses collègues du Reform-Club, car il avait intérêt à s'assurer votre inconsciente complicité.

– Mais pourquoi ?... s'écria Passepartout.

– Écoutez. Le 28 septembre dernier, un vol de cinquante-cinq mille livres a été commis à la Banque d'Angleterre par un individu dont le signalement a pu être relevé. Or, voici ce signalement, et c'est trait pour trait celui du sieur Fogg.

– Allons donc ! s'écria Passepartout en frappant la table de son robuste poing. Mon maître est le plus honnête homme du monde !

– Qu'en savez-vous ? répondit Fix. Vous ne le connaissez même pas ! Vous êtes entré à son service le jour de son départ, et il est parti précipitamment sous un prétexte insensé, sans malles, emportant une grosse somme en bank-notes ! Et vous osez soutenir que c'est un honnête homme !

– Oui ! oui ! répétait machinalement le pauvre garçon.

– Voulez-vous donc être arrêté comme son complice ? »

Passepartout avait pris sa tête à deux mains. Il n'était plus reconnaissable. Il n'osait regarder l'inspecteur de police. Phileas Fogg un voleur, lui, le sauveur d'Aouda, l'homme généreux et brave ! Et pourtant que de présomptions[1] relevées contre lui ! Passepartout essayait de repousser les soupçons qui se glissaient dans son esprit. Il ne voulait pas croire à la culpabilité de son maître.

note

1. présomptions : opinions fondées sur les apparences.

« Enfin, que voulez-vous de moi ? dit-il à l'agent de police, en se contenant par un suprême effort.

— Voici, répondit Fix. J'ai filé le sieur Fogg jusqu'ici, mais je n'ai pas encore reçu le mandat d'arrestation, que j'ai demandé à Londres. Il faut donc que vous m'aidiez à retenir à Hong-Kong...

— Moi ! que je...

— Et je partage avec vous la prime de deux mille livres promise par la Banque d'Angleterre !

— Jamais ! » répondit Passepartout, qui voulut se lever et retomba, sentant sa raison et ses forces lui échapper à la fois.

« Monsieur Fix, dit-il en balbutiant, quand bien même tout ce que vous m'avez dit serait vrai... quand mon maître serait le voleur que vous cherchez... ce que je nie... j'ai été... je suis à son service... je l'ai vu bon et généreux... Le trahir... jamais... non, pour tout l'or du monde... Je suis d'un village où l'on ne mange pas de ce pain-là !...

— Vous refusez ?

— Je refuse.

— Mettons que je n'ai rien dit, répondit Fix, et buvons.

— Oui, buvons ! »

Passepartout se sentait de plus en plus envahir par l'ivresse. Fix, comprenant qu'il fallait à tout prix le séparer de son maître, voulut l'achever. Sur la table se trouvaient quelques pipes chargées d'opium. Fix en glissa une dans la main de Passepartout, qui la prit, la porta à ses lèvres, l'alluma, respira quelques bouffées, et retomba, la tête alourdie sous l'influence du narcotique[1].

note

1. narcotique : somnifère, drogue.

« Enfin, dit Fix en voyant Passepartout anéanti, le sieur Fogg ne sera pas prévenu à temps du départ du *Carnatic*, et s'il part, du moins partira-t-il sans ce maudit Français ! »

Puis il sortit, après avoir payé la dépense.

Au fil du texte

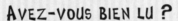

Questions sur le troisième extrait (pp. 76 à 87)

QUE S'EST-IL PASSÉ ENTRE-TEMPS P. 75 ?

1. Quel incident retarde de nouveau Phileas Fogg ?

2. Qui se joint à Phileas Fogg, Mrs. Aouda et Passepartout pour le voyage ?

3. Quel soupçon conçoit Passepartout ?

AVEZ-VOUS BIEN LU ?

4. Où les voyageurs arrivent-ils au chapitre XIX ?

5. Pourquoi Fix est-il contrarié ?

6. Quelle décision l'inspecteur Fix prend-il ? Pourquoi ?

7. Où entraîne-t-il Passepartout ?

8. Que lui demande-t-il ?

9. Quelle est la réaction de Passepartout ?

10. Quelle ruse Fix utilise-t-il pour empêcher Passepartout d'avertir son maître que le départ du *Carnatic* a été avancé ?

11. Quelle(s) conséquence(s) cela peut-il avoir sur le voyage de Phileas Fogg ?

ÉTUDIER LE VOCABULAIRE ET LA GRAMMAIRE

12. Dans « *toute cette foule de Chinois, de Japonais et d'Européens* » (l. 19-20), donnez la nature de « *Chinois* », « *Japonais* » et « *Européens* ».

13. Dans le passage « *Là, à l'embouchure de la rivière* [...] *qui est la couleur impériale* » (l. 25 à 38), donnez la nature de « *anglais* », « *français* », « *américains* », « *hollandais* », « *japonaises* », « *chinoises* », « *chinois* », « *anglais* ».

14. Parmi ces mots, certains s'écrivent avec une majuscule ou avec une minuscule. Comment expliquez-vous cela ?

15. Dans le passage « *Une taverne s'ouvrait* [...] *ne purent plus être arrêtés* » (l. 79 à 107), justifiez les accords des participes passés.

quiproquo : **méprise qui fait qu'on prend une personne ou une chose pour une autre.**

ÉTUDIER LE PROCÉDÉ DU QUIPROQUO*

16. Passepartout commet une méprise concernant Fix. En quoi consiste-t-elle ?

17. Relevez la phrase qui la révèle.

18. Cette méprise relève d'un procédé comique, le quiproquo, fort utilisé dans les comédies de Molière, par exemple. On retrouve ce procédé dans l'un des extraits du groupement de textes. Lequel ?

19. Cherchez l'étymologie du mot « quiproquo ».

À VOS PLUMES !

20. L'inspecteur Fix rédige un télégramme à ses supérieurs à Londres, pour hâter l'arrivée du mandat d'arrêt qu'il attend. Il raconte la situation et présente des arguments.

LIRE L'IMAGE

21. Quels sont les personnages représentés page 81 ?

22. Que suggère l'expression de chacun d'eux ?

Changement de tactique

La chance semble avoir abandonné Phileas Fogg : le stratagème élaboré par Fix pour le retenir à Hong-Kong réussit ; il rate le départ du paquebot pour le Japon et, comble de malchance, son domestique est introuvable. Mais le tenace gentleman ne s'avoue pas vaincu : il loue un petit bateau, la Tankadère, pour tenter de rejoindre son paquebot à Shangaï. Ne se doutant pas de la réelle identité de Fix, il lui propose de les accompagner avec Mrs. Aouda. Pendant ce temps, Passepartout, embarque sur le Carnatic, croyant y retrouver son maître. Constatant son absence, il se rend compte qu'il a été trompé par Fix et, à son arrivée à Yokohama, il offre ses services à une troupe acrobatique japonaise pour subvenir à ses besoins. Lors d'une représentation, il reconnaît dans l'assistance Phileas Fogg et retrouve sa place auprès de son maître pour continuer le voyage à destination de San Francisco.

Chapitre XXIV

Ce qui était arrivé en vue de Shangaï, on le comprend. Les signaux faits par la *Tankadère* avaient été aperçus du paquebot de Yokohama. Le capitaine, voyant un pavillon en berne[1], s'était dirigé vers la petite goélette[2].

Quelques instants après, Phileas Fogg, soldant[3] son passage au prix convenu, mettait dans la poche du patron John Bunsby cinq cent cinquante livres (13 750 fr.). Puis l'honorable gentleman, Mrs. Aouda et Fix étaient montés à bord du steamer, qui avait aussitôt fait route pour Nagasaki et Yokohama.

Arrivé le matin même, 14 novembre, à l'heure réglementaire, Phileas Fogg, laissant Fix aller à ses affaires, s'était rendu à bord du *Carnatic*, et là il apprenait, à la grande joie de Mrs. Aouda – et peut-être à la sienne, mais du moins il n'en laissa rien paraître – que le Français Passepartout était effectivement arrivé la veille à Yokohama.

Phileas Fogg, qui devait repartir le soir même pour San Francisco, se mit immédiatement à la recherche de son domestique. Il s'adressa, mais en vain, aux agents consulaires français et anglais, et, après avoir inutilement parcouru les rues de Yokohama, il désespérait de retrouver Passepartout, quand le hasard, ou peut-être une sorte de pressentiment, le fit entrer dans la case de l'honorable Batulcar. Il n'eût certes point reconnu son serviteur sous cet excentrique accoutrement[4] de héraut[5] ; mais celui-ci, dans sa position

notes

1. pavillon en berne : drapeau de signalisation marin baissé en signe de deuil ou de détresse.

2. goélette : bateau à deux mâts.
3. soldant : payant.
4. accoutrement : habillement ridicule.

5. héraut : au Moyen Âge, officier chargé des proclamations officielles.

renversée, aperçut son maître à la galerie. Il ne put retenir un mouvement de son nez. De là rupture de l'équilibre, et ce qui s'ensuivit.

30 Voilà ce que Passepartout apprit de la bouche même de Mrs. Aouda, qui lui raconta alors comment s'était faite cette traversée de Hong-Kong à Yokohama, en compagnie d'un sieur Fix, sur la goélette la *Tankadère*.

Au nom de Fix, Passepartout ne sourcilla[1] pas. Il pensait que le moment n'était pas venu de dire à son maître ce qui 35 s'était passé entre l'inspecteur de police et lui. Aussi, dans l'histoire que Passepartout fit de ses aventures, il s'accusa et s'excusa seulement d'avoir été surpris par l'ivresse de l'opium dans une tabagie de Yokohama.

Mr. Fogg écouta froidement ce récit, sans répondre ; puis 40 il ouvrit à son domestique un crédit suffisant pour que celui-ci pût se procurer à bord des habits plus convenables. Et, en effet, une heure ne s'était pas écoulée, que l'honnête garçon, ayant coupé son nez et rogné ses ailes, n'avait plus rien en lui qui rappelât le sectateur[2] du dieu Tingou.

45 Le paquebot faisant la traversée de Yokohama à San Francisco appartenait à la Compagnie du « Pacific Mail steam », et se nommait le *General-Grant*. C'était un vaste steamer à roues, jaugeant deux mille cinq cents tonnes, bien aménagé et doué d'une grande vitesse. Un énorme balancier 50 s'élevait et s'abaissait successivement au-dessus du pont ; à l'une de ses extrémités s'articulait la tige d'un piston, et à l'autre celle d'une bielle[3], qui, transformant le mouvement rectiligne en mouvement circulaire, s'appliquait direc-

---

notes

1. ne sourcilla pas : ne manifesta pas son trouble.
2. sectateur : fidèle.

3. bielle : pièce rigide destinée à la transmission d'une poussée.

tement à l'arbre des roues. Le *General-Grant* était gréé[1]
en trois-mâts goélette, et il possédait une grande surface
de voilure, qui aidait puissamment la vapeur. À filer ses
douze milles à l'heure, le paquebot ne devait pas employer
plus de vingt et un jours pour traverser le Pacifique. Phileas
Fogg était donc autorisé à croire que, rendu le 2 décembre
à San Francisco, il serait le 11 à New York et le 20 à Londres
– gagnant ainsi de quelques heures cette date fatale
du 21 décembre.

Les passagers étaient assez nombreux à bord du steamer,
des Anglais, beaucoup d'Américains, une véritable émigra-
tion de coolies[2] pour l'Amérique, et un certain nombre
d'officiers de l'armée des Indes, qui utilisaient leur congé
en faisant le tour du monde.

Pendant cette traversée il ne se produisit aucun incident
nautique. Le paquebot, soutenu sur ses larges roues, appuyé
par sa forte voilure, roulait[3] peu. L'océan Pacifique justifiait
assez son nom. Mr. Fogg était aussi calme, aussi peu
communicatif que d'ordinaire. Sa jeune compagne se sentait
de plus en plus attachée à cet homme par d'autres liens que
ceux de la reconnaissance. Cette silencieuse nature, si généreuse en somme, l'impressionnait plus qu'elle ne le croyait,
et c'était presque à son insu qu'elle se laissait aller à des
sentiments dont l'énigmatique Fogg ne semblait aucune-
ment subir l'influence.

En outre, Mrs. Aouda s'intéressait prodigieusement aux
projets du gentleman. Elle s'inquiétait des contrariétés qui
pouvaient compromettre le succès du voyage. Souvent elle
causait avec Passepartout, qui n'était point sans lire entre les

notes

1. **gréé :** garni de voiles. 2. **coolies :** travailleurs. 3. **roulait :** tanguait, bougeait.

lignes dans le cœur de Mrs. Aouda. Ce brave garçon avait, maintenant, à l'égard de son maître, la foi du charbonnier[1] ;
85 il ne tarissait pas en éloges[2] sur l'honnêteté, la générosité, le dévouement de Phileas Fogg ; puis, il rassurait Mrs. Aouda sur l'issue du voyage, répétant que le plus difficile était fait, que l'on était sorti de ces pays fantastiques de la Chine et du Japon, que l'on retournait aux contrées
90 civilisées, et enfin qu'un train de San Francisco à New York et un transatlantique de New York à Londres suffiraient, sans doute, pour achever cet impossible tour du monde dans les délais convenus.

Neuf jours après avoir quitté Yokohama, Phileas Fogg
95 avait exactement parcouru la moitié du globe terrestre.

En effet, le *General-Grant*, le 23 novembre, passait au cent quatre-vingtième méridien[3], celui sur lequel se trouvent, dans l'hémisphère austral[4], les antipodes[5] de Londres. Sur quatre-vingts jours mis à sa disposition, Mr. Fogg, il est vrai,
100 en avait employé cinquante-deux, et il ne lui en restait plus que vingt-huit à dépenser. Mais il faut remarquer que si le gentleman se trouvait à moitié route seulement « par la différence des méridiens », il avait en réalité accompli plus des deux tiers du parcours total. Quels détours forcés,
105 en effet, de Londres à Aden, d'Aden à Bombay, de Calcutta à Singapore, de Singapore à Yokohama ! À suivre circulairement le cinquantième parallèle, qui est celui de Londres, la distance n'eût été que de douze mille milles environ,

---

notes

1. foi du charbonnier : croyance naïve de l'homme simple.

2. il ne tarissait pas en éloges : il ne cessait de dire du bien.

3. méridien : cercle imaginaire passant par les deux pôles.

4. austral : qui est au sud du globe terrestre.

5. antipodes : lieux du globe diamétralement opposés.

tandis que Phileas Fogg était forcé, par les caprices des moyens de locomotion, d'en parcourir vingt-six mille dont il avait fait environ dix-sept mille cinq cents, à cette date du 23 novembre. Mais maintenant la route était droite, et Fix n'était plus là pour y accumuler les obstacles !

Il arriva aussi que, ce 23 novembre, Passepartout éprouva une grande joie. On se rappelle que l'entêté s'était obstiné à garder l'heure de Londres à sa fameuse montre de famille, tenant pour fausses toutes les heures des pays qu'il traversait. Or, ce jour-là, bien qu'il ne l'eût jamais ni avancée ni retardée, sa montre se trouva d'accord avec les chronomètres du bord.

Si Passepartout triompha, cela se comprend de reste. Il aurait bien voulu savoir ce que Fix aurait pu dire, s'il eût été présent.

« Ce coquin qui me racontait un tas d'histoires sur les méridiens, sur le soleil, sur la lune ! répétait Passepartout. Hein ! ces gens-là ! Si on les écoutait, on ferait de la belle horlogerie ! J'étais bien sûr qu'un jour ou l'autre, le soleil se déciderait à se régler sur ma montre !... »

Passepartout ignorait ceci : c'est que si le cadran de sa montre eût été divisé en vingt-quatre heures comme les horloges italiennes, il n'aurait eu aucun motif de triompher, car les aiguilles de son instrument, quand il était neuf heures du matin à bord, auraient indiqué neuf heures du soir, c'est-à-dire la vingt et unième heure depuis minuit, – différence précisément égale à celle qui existe entre Londres et le cent quatre-vingtième méridien.

Mais si Fix avait été capable d'expliquer cet effet purement physique, Passepartout, sans doute, eût été incapable, sinon de le comprendre, du moins de l'admettre. Et en tout cas,

140 si, par impossible, l'inspecteur de police se fût inopinément[1] montré à bord en ce moment, il est probable que Passepartout, à bon droit rancunier, eût traité avec lui un sujet tout différent et d'une tout autre manière.

Or, où était Fix en ce moment ?...

145 Fix était précisément à bord du *General-Grant*.

En effet, en arrivant à Yokohama, l'agent, abandonnant Mr. Fogg qu'il comptait retrouver dans la journée, s'était immédiatement rendu chez le consul anglais. Là, il avait enfin trouvé le mandat, qui, courant après lui depuis 150 Bombay, avait déjà quarante jours de date, – mandat qui lui avait été expédié de Hong-Kong par ce même *Carnatic* à bord duquel on le croyait. Qu'on juge du désappointement[2] du détective ! Le mandat devenait inutile ! Le sieur Fogg avait quitté les possessions anglaises ! Un acte d'extra-155 dition[3] était maintenant nécessaire pour l'arrêter !

« Soit ! se dit Fix, après le premier moment de colère, mon mandat n'est plus bon ici, il le sera en Angleterre. Ce coquin a tout l'air de revenir dans sa patrie, croyant avoir dépisté la police. Bien. Je le suivrai jusque-là. Quant à l'argent, Dieu 160 veuille qu'il en reste ! Mais en voyages, en primes, en procès, en amendes, en éléphant, en frais de toute sorte, mon homme a déjà laissé plus de cinq mille livres sur sa route. Après tout, la Banque est riche ! »

Son parti pris, il s'embarqua aussitôt sur le *General-Grant*. 165 Il était à bord, quand Mr. Fogg et Mrs. Aouda y arrivèrent. À son extrême surprise, il reconnut Passepartout sous son

---

notes

1. inopinément : à l'improviste.
2. désappointement : déception.

3. extradition : procédure internationale permettant à un État de se faire livrer

un individu poursuivi et qui se trouve sur le territoire d'un autre État.

costume de héraut. Il se cacha aussitôt dans sa cabine, afin d'éviter une explication qui pouvait tout compromettre, – et, grâce au nombre des passagers, il comptait bien n'être 170 point aperçu de son ennemi, lorsque ce jour-là précisément il se trouva face à face avec lui sur l'avant du navire.

Passepartout sauta à la gorge de Fix, sans autre explication, et, au grand plaisir de certains Américains qui parièrent immédiatement pour lui, il administra au malheureux 175 inspecteur une volée[1] superbe, qui démontra la haute supériorité de la boxe française sur la boxe anglaise.

Quand Passepartout eut fini, il se trouva plus calme et comme soulagé. Fix se releva, en assez mauvais état, et, regardant son adversaire, il lui dit froidement :

180 « Est-ce fini ?

– Oui, pour l'instant.

– Alors venez me parler.

– Que je...

– Dans l'intérêt de votre maître. »

185 Passepartout, comme subjugué par ce sang-froid, suivit l'inspecteur de police, et tous deux s'assirent à l'avant du steamer.

« Vous m'avez rossé[2], dit Fix. Bien. À présent, écoutez-moi. Jusqu'ici j'ai été l'adversaire de Mr. Fogg, mais main-190 tenant je suis dans son jeu.

– Enfin ! s'écria Passepartout, vous le croyez un honnête homme ?

– Non, répondit froidement Fix, je le crois un coquin... Chut ! ne bougez pas et laissez-moi dire. Tant que Mr. Fogg 195 a été sur les possessions anglaises, j'ai eu intérêt à le retenir

---

notes

1. *administrer une volée :* frapper.

2. *rossé :* frappé.

en attendant un mandat d'arrestation. J'ai tout fait pour cela. J'ai lancé contre lui les prêtres de Bombay, je vous ai enivré à Hong-Kong, je vous ai séparé de votre maître, je lui ai fait manquer le paquebot de Yokohama... »

200   Passepartout écoutait, les poings fermés.

« Maintenant, reprit Fix, Mr. Fogg semble retourner en Angleterre ? Soit, je le suivrai. Mais, désormais, je mettrai à écarter les obstacles de sa route autant de soin et de zèle[1] que j'en ai mis jusqu'ici à les accumuler. Vous le voyez, mon
205   jeu est changé, et il est changé parce que mon intérêt le veut. J'ajoute que votre intérêt est pareil au mien, car c'est en Angleterre seulement que vous saurez si vous êtes au service d'un criminel ou d'un honnête homme ! »

Passepartout avait très attentivement écouté Fix, et il fut
210   convaincu que Fix parlait avec une entière bonne foi.

« Sommes-nous amis ? demanda Fix.

– Amis, non, répondit Passepartout. Alliés, oui, et sous bénéfice d'inventaire[2], car, à la moindre apparence de trahison, je vous tords le cou.

215   – Convenu », dit tranquillement l'inspecteur de police.

Onze jours après, le 3 décembre, le *General-Grant* entrait dans la baie de la Porte-d'Or et arrivait à San Francisco.

Mr. Fogg n'avait encore ni gagné ni perdu un seul jour.

notes

1. **zèle :** application exagérée.

2. **sous bénéfice d'inventaire :** sous réserve.

Au fil du texte

QUE S'EST-IL PASSÉ ENTRE-TEMPS P. 91 ?

1. Que s'est-il passé après que Passepartout se fut réveillé de l'ivresse où l'avait plongé volontairement l'inspecteur Fix ?

2. À quelle difficulté le domestique se heurte-t-il ?

3. Comment la résout-il ?

4. Dans quelles circonstances le domestique et le maître se retrouvent-ils ?

AVEZ-VOUS BIEN LU ?

5. Comment Phileas Fogg réussit-il à rejoindre le paquebot qui assure la liaison entre Yokohama et San Francisco ?

6. Quels sentiments Mrs. Aouda éprouve-t-elle pour le gentleman londonien ?

7. Le 23 novembre, combien de jours reste-t-il à Phileas Fogg pour gagner son pari ?

8. Cochez la bonne réponse. Il a accompli :

☐ le tiers

☐ la moitié

☐ les deux tiers du parcours total.

9. Quelle satisfaction Passepartout éprouve-t-il, le 23 novembre ?

10. Quel changement de tactique l'inspecteur Fix lui annonce-t-il ?

11. Quel continent les voyageurs atteignent-ils, le 3 décembre ?

ÉTUDIER LE VOCABULAIRE ET LA GRAMMAIRE

12. Dans le passage « *Au nom de Fix* [...] *une tabagie de Yokohama.* » (l. 33 à 38), indiquez quels sont les verbes de premier plan et quels sont les verbes de second plan du récit du narrateur.

13. Dans le passage « *Passepartout ignorait ceci* [...] *cent quatre-vingtième méridien* » (l. 129 à 136), à quel mode et à quel temps sont les verbes « eût été », « aurait eu » et « auraient indiqué » ?

14. Combien de propositions contient la phrase « *Vous le voyez, mon jeu est changé, et il est changé parce que mon intérêt le veut.* » (l. 204-205) ? Donnez la nature de chacune d'elles.

ÉTUDIER LE ROMAN D'APPRENTISSAGE

15. Retrouvez, dans le dossier (p. 171), la définition que l'éditeur de Jules Verne, Hetzel, donne du roman d'apprentissage.

16. Dans un roman, la plus grande partie du texte est de type narratif. Dans un but pédagogique, Jules Verne introduit dans ce roman des passages de type explicatif. Trouvez-en un (pp. 93-94).

17. Quels renseignements y trouve-t-on ?

18. Quel est le champ lexical dominant dans ce passage ?

À VOS PLUMES !

19. Passepartout écrit à son frère, resté en France, pour lui raconter son aventure. Il fait un bref portrait moral de son maître, indique quels sentiments celui-ci lui inspire et raconte brièvement leur projet insensé et les derniers incidents survenus.

Un trajet périlleux

En arrivant sur le sol américain, M. Fogg et Mrs. Aouda, suivis de l'inspecteur Fix, sont entraînés dans une bousculade, due à un meeting électoral. Le gentleman anglais, se sentant insulté par un Américain, le colonel Proctor, se promet de revenir pour se battre en duel avec celui-ci, afin de sauvegarder son honneur. Pendant ce temps, Passepartout se procure des armes, le trajet en chemin de fer reliant San Francisco à New York, qui traverse une contrée fréquentée par les Indiens et les fauves, pouvant s'avérer fort dangereux. Après avoir été un moment stoppé par un troupeau de buffles qui ont envahi la voie, le train continue sa progression, pendant que Passepartout assiste à la conférence d'un missionnaire mormon.

Mrs. Aouda aperçoit le colonel Proctor dans le train. Craignant un affrontement, elle tente d'éviter une rencontre entre Mr. Fogg et l'Américain. Mais un nouvel incident risque de retarder les voyageurs : le pont de Medicine-Bow est ébranlé et ne supporterait pas le poids du train. Devant Passepartout ébahi, le conducteur lance le train à toute vitesse et parvient à franchir le pont, qui s'écroule immédiatement après.

Chapitre XXIX

Le soir même, le train poursuivait sa route sans obstacles, dépassait le fort Sauders, franchissait la passe de Cheyenne et arrivait à la passe d'Evans. En cet endroit, le rail-road[1] atteignait le plus haut point du parcours, soit huit mille quatre-vingt-onze pieds au-dessus du niveau de l'océan. Les voyageurs n'avaient plus qu'à descendre jusqu'à l'Atlantique sur ces plaines sans limites, nivelées[2] par la nature.

Là se trouvait sur le « grand trunk[3] » l'embranchement de Denver-city, la principale ville du Colorado. Ce territoire est riche en mines d'or et d'argent, et plus de cinquante mille habitants y ont déjà fixé leur demeure.

À ce moment, treize cent quatre-vingt-deux milles avaient été faits depuis San Francisco, en trois jours et trois nuits. Quatre nuits et quatre jours, selon toute prévision, devaient suffire pour atteindre New York. Phileas Fogg se maintenait donc dans les délais réglementaires.

Pendant la nuit, on laissa sur la gauche le camp Walbah. Le Lodge-pole-creek courait parallèlement à la voie, en suivant la frontière rectiligne commune aux États du Wyoming et du Colorado. À onze heures, on entrait dans le Nebraska, on passait près du Sedgwick, et l'on touchait à Julesburgh, placé sur la branche sud de Platte-river.

C'est à ce point que se fit l'inauguration de l'Union Pacific Road, le 23 octobre 1867, et dont l'ingénieur en chef fut le général J. M. Dodge. Là s'arrêtèrent les deux puissantes locomotives, remorquant les neuf wagons des invités,

notes

---

1. rail-road : chemin de fer.　　*2. nivelées :* aplanies.　　*3. trunk :* route.

au nombre desquels figurait le vice-président, Mr. Thomas C. Durant ; là retentirent les acclamations ; là, les Sioux et les Pawnies[1] donnèrent le spectacle d'une petite guerre indienne ; là, les feux d'artifice éclatèrent ; là, enfin, se publia, au moyen d'une imprimerie portative, le premier numéro du journal *Railway Pioneer*. Ainsi fut célébrée l'inauguration de ce grand chemin de fer, instrument de progrès et de civilisation, jeté à travers le désert et destiné à relier entre elles des villes et des cités qui n'existaient pas encore. Le sifflet de la locomotive, plus puissant que la lyre[2] d'Amphion, allait bientôt les faire surgir du sol américain.

À huit heures du matin, le fort Mac-Pherson était laissé en arrière. Trois cent cinquante-sept milles séparaient ce point d'Omaha. La voie ferrée suivait, sur sa rive gauche, les capricieuses sinuosités de la branche sud de Platte-river. À neuf heures, on arrivait à l'importante ville de North-Platte, bâtie entre ces deux bras du grand cours d'eau, qui se rejoignent autour d'elle pour ne plus former qu'une seule artère –, affluent considérable dont les eaux se confondent avec celles du Missouri, un peu au-dessus d'Omaha.

Le cent-unième méridien était franchi.

Mr. Fogg et ses partenaires avaient repris leur jeu. Aucun d'eux ne se plaignait de la longueur de la route–, pas même le mort. Fix avait commencé par gagner quelques guinées, qu'il était en train de reperdre, mais il ne se montrait pas moins passionné que Mr. Fogg. Pendant cette matinée, la chance favorisa singulièrement ce gentleman. Les atouts et les honneurs pleuvaient dans ses mains. À un certain

notes

1. Pawnies : tribu indienne.

2. lyre : instrument de musique à cordes, connu depuis l'Antiquité.

moment, après avoir combiné un coup audacieux, il se préparait à jouer pique, quand, derrière la banquette, une voix se fit entendre, qui disait :

« Moi, je jouerais carreau... »

60 Mr. Fogg et Mrs. Aouda, Fix levèrent la tête. Le colonel Proctor était près d'eux.

Stamp W. Proctor et Phileas Fogg se reconnurent aussitôt.

« Ah ! c'est vous, monsieur l'Anglais, s'écria le colonel, c'est vous qui voulez jouer pique !

65 — Et qui le joue, répondit froidement Phileas Fogg, en abattant un dix de cette couleur.

— Eh bien, il me plaît que ce soit carreau », répliqua le colonel Proctor d'une voix irritée.

Et il fit un geste pour saisir la carte jouée, en ajoutant :

70 « Vous n'entendez rien à ce jeu.

— Peut-être serai-je plus habile à un autre, dit Phileas Fogg, qui se leva.

— Il ne tient qu'à vous d'en essayer, fils de John Bull ! », répliqua le grossier personnage.

75 Mrs. Aouda était devenue pâle. Tout son sang lui refluait au cœur. Elle avait saisi le bras de Phileas Fogg, qui la repoussa doucement. Passepartout était prêt à se jeter sur l'Américain, qui regardait son adversaire de l'air le plus insultant. Mais Fix s'était levé, et, allant au colonel Proctor,

80 il lui dit :

« Vous oubliez que c'est moi à qui vous avez affaire, monsieur, moi que vous avez, non seulement injurié, mais frappé !

— Monsieur Fix, dit Mr. Fogg, je vous demande pardon,

85 mais ceci me regarde seul. En prétendant que j'avais tort de jouer pique, le colonel m'a fait une nouvelle injure, et il m'en rendra raison.

– Quand vous voudrez et où vous voudrez, répondit l'Américain, et à l'arme qu'il vous plaira ! »

90 Mrs. Aouda essaya vainement de retenir Mr Fogg. L'inspecteur tenta inutilement de reprendre la querelle à son compte. Passepartout voulait jeter le colonel par la portière, mais un signe de son maître l'arrêta. Phileas Fogg quitta le wagon, et l'Américain le suivit sur la passerelle.

95 « Monsieur, dit Mr. Fogg à son adversaire, je suis fort pressé de retourner en Europe, et un retard quelconque préjudicierait beaucoup à mes intérêts.

– Eh bien ! qu'est-ce que cela me fait ? répondit le colonel Proctor.

100 – Monsieur, reprit très poliment Mr Fogg, après notre rencontre à San Francisco, j'avais formé le projet de venir vous retrouver en Amérique, dès que j'aurais terminé les affaires qui m'appellent sur l'ancien continent.

– Vraiment !

105 – Voulez-vous me donner rendez-vous dans six mois ?

– Pourquoi pas dans six ans ?

– Je dis six mois, répondit Mr. Fogg, et je serai exact au rendez-vous.

– Des défaites, tout cela ! s'écria Stamp W. Proctor. Tout 110 de suite ou pas.

– Soit, répondit Mr. Fogg. Vous allez à New York ?

– Non.

– À Chicago ?

– Non.

115 – À Omaha ?

– Peu vous importe ! Connaissez-vous Plum-Creek ?

– Non, répondit Mr. Fogg.

– C'est la station prochaine. Le train y sera dans une heure. Il y stationnera dix minutes. En dix minutes, on peut échanger quelques coups de revolver.

– Soit, répondit Mr. Fogg. Je m'arrêterai à Plum-Creek.

– Et je crois même que vous y resterez ! ajouta l'Américain avec une insolence sans pareille.

– Qui sait, monsieur ? », répondit Mr. Fogg, et il rentra dans son wagon, aussi froid que d'habitude.

Là, le gentleman commença par rassurer Mrs. Aouda, lui disant que les fanfarons n'étaient jamais à craindre. Puis il pria Fix de lui servir de témoin dans la rencontre qui allait avoir lieu. Fix ne pouvait refuser, et Phileas Fogg reprit tranquillement son jeu interrompu, en jouant pique avec un calme parfait.

À onze heures, le sifflet de la locomotive annonça l'approche de la station de Plum-Creek. Mr. Fogg se leva, et, suivi de Fix, il se rendit sur la passerelle. Passepartout l'accompagnait, portant une paire de revolvers. Mrs. Aouda était restée dans le wagon, pâle comme une morte.

En ce moment, la porte de l'autre wagon s'ouvrit, et le colonel Proctor apparut également sur la passerelle, suivi de son témoin, un Yankee[1] de sa trempe. Mais à l'instant où les deux adversaires allaient descendre sur la voie, le conducteur accourut et leur cria :

« On ne descend pas, messieurs.

– Et pourquoi ? demanda le colonel.

– Nous avons vingt minutes de retard, et le train ne s'arrête pas.

– Mais je dois me battre avec monsieur.

note

1. *Yankee :* Américain.

– Je le regrette, répondit l'employé, mais nous repartons immédiatement. Voici la cloche qui sonne ! »

La cloche sonnait, en effet, et le train se remit en route.

150 « Je suis vraiment désolé, messieurs, dit alors le conducteur. En toute autre circonstance, j'aurais pu vous obliger[1]. Mais, après tout, puisque vous n'avez pas eu le temps de vous battre ici, qui vous empêche de vous battre en route ?

155 – Cela ne conviendra peut-être pas à monsieur ! dit le colonel Proctor d'un air goguenard.

– Cela me convient parfaitement », répondit Phileas Fogg.

« Allons, décidément, nous sommes en Amérique ! pensa Passepartout, et le conducteur de train est un gentleman 160 du meilleur monde ! »

Et ce disant, il suivit son maître.

Les deux adversaires, leurs témoins, précédés du conducteur, se rendirent, en passant d'un wagon à l'autre, à l'arrière du train. Le dernier wagon n'était occupé que par une 165 dizaine de voyageurs. Le conducteur leur demanda s'ils voulaient bien, pour quelques instants, laisser la place libre à deux gentlemen qui avaient une affaire d'honneur à vider.

Comment donc ! Mais les voyageurs étaient trop heureux de pouvoir être agréables aux deux gentlemen, et ils se reti- 170 rèrent sur les passerelles.

Ce wagon, long d'une cinquantaine de pieds, se prêtait très convenablement à la circonstance. Les deux adversaires pouvaient marcher l'un sur l'autre entre les banquettes et s'arquebuser à leur aise. Jamais duel ne fut plus facile 175 à régler. Mr. Fogg et le colonel Proctor, munis chacun

---

note

1. obliger : rendre service.

de leur revolver à six coups, entrèrent dans le wagon. Leurs témoins, restés en dehors, les y enfermèrent. Au premier coup de sifflet de la locomotive, ils devaient commencer le feu... Puis, après un laps de deux minutes, on retirerait
180 du wagon ce qui resterait des deux gentlemen.

Rien de plus simple en vérité. C'était même si simple, que Fix et Passepartout sentaient leur cœur battre à se briser.

On attendait donc le coup de sifflet convenu, quand soudain des cris sauvages retentirent. Des détonations les
185 accompagnèrent, mais elles ne venaient point du wagon réservé aux duellistes. Ces détonations se prolongeaient, au contraire, jusqu'à l'avant et sur toute la ligne du train. Des cris de frayeur se faisaient entendre à l'intérieur du convoi.

Le colonel Proctor et Mr. Fogg, revolver au poing, sorti-
190 rent aussitôt du wagon et se précipitèrent vers l'avant, où retentissaient plus bruyamment les détonations et les cris.

Ils avaient compris que le train était attaqué par une bande de Sioux.

Ces hardis Indiens n'en étaient pas à leur coup d'essai,
195 et plus d'une fois déjà ils avaient arrêté les convois. Suivant leur habitude, sans attendre l'arrêt du train, s'élançant sur les marchepieds au nombre d'une centaine, ils avaient escaladé les wagons comme fait un clown d'un cheval au galop.

Ces Sioux étaient munis de fusils. De là les détonations
200 auxquelles les voyageurs, presque tous armés, ripostaient par des coups de revolver. Tout d'abord, les Indiens s'étaient précipités sur la machine. Le mécanicien et le chauffeur avaient été à demi assommés à coups de casse-tête. Un chef sioux, voulant arrêter le train, mais ne sachant pas manœu-
205 vrer la manette du régulateur, avait largement ouvert l'introduction de la vapeur au lieu de la fermer, et la loco-motive, emportée, courait avec une vitesse effroyable.

En même temps, les Sioux avaient envahi les wagons, ils couraient comme des singes en fureur sur les impériales[1], ils enfonçaient les portières et luttaient corps à corps avec les voyageurs. Hors du wagon de bagages, forcé et pillé, les colis étaient précipités sur la voie. Cris et coups de feu ne discontinuaient pas.

Cependant les voyageurs se défendaient avec courage. Certains wagons, barricadés, soutenaient un siège, comme de véritables forts ambulants, emportés avec une rapidité de cent milles à l'heure.

Dès le début de l'attaque, Mrs. Aouda s'était courageusement comportée. Le revolver à la main, elle se défendait héroïquement, tirant à travers les vitres brisées, lorsque quelque sauvage se présentait à elle. Une vingtaine de Sioux, frappés à mort, étaient tombés sur la voie, et les roues des wagons écrasaient comme des vers ceux qui glissaient sur les rails du haut des passerelles.

Plusieurs voyageurs, grièvement atteints par les balles ou les casse-tête, gisaient sur les banquettes.

Cependant il fallait en finir. Cette lutte durait déjà depuis dix minutes, et ne pouvait que se terminer à l'avantage des Sioux, si le train ne s'arrêtait pas. En effet, la station du fort Kearney n'était pas à deux milles de distance. Là, se trouvait un poste américain, mais ce poste passé, entre le fort Kearney et la station suivante, les Sioux seraient les maîtres du train.

Le conducteur se battait aux côtés de Mr. Fogg, quand une balle le renversa. En tombant, cet homme s'écria :

note

1. impériales : partie du wagon.

« Nous sommes perdus, si le train ne s'arrête pas avant cinq minutes !

– Il s'arrêtera ! dit Phileas Fogg, qui voulut s'élancer hors du wagon.

240 – Restez, monsieur, lui cria Passepartout. Cela me regarde ! »

Phileas Fogg n'eut pas le temps d'arrêter ce courageux garçon, qui, ouvrant une portière sans être vu des Indiens, parvint à se glisser sous le wagon. Et alors, tandis que la lutte 245 continuait, pendant que les balles se croisaient au-dessus de sa tête, retrouvant son agilité, sa souplesse de clown, se faufilant sous les wagons, s'accrochant aux chaînes, s'aidant du levier des freins et des longerons[1] des châssis[2], rampant d'une voiture à l'autre avec une adresse mer-250 veilleuse, il gagna ainsi l'avant du train. Il n'avait pas été vu, il n'avait pu l'être.

Là, suspendu d'une main entre le wagon des bagages et le tender[3], de l'autre il décrocha les chaînes de sûreté ; mais par suite de la traction opérée, il n'aurait jamais 255 pu parvenir à dévisser la barre d'attelage, si une secousse que la machine éprouva n'eût fait sauter cette barre, et le train, détaché, resta peu à peu en arrière, tandis que la locomotive s'enfuyait avec une nouvelle vitesse.

Emporté par la force acquise, le train roula encore pendant 260 quelques minutes, mais les freins furent manœuvrés à l'inté-rieur des wagons, et le convoi s'arrêta enfin, à moins de cent pas de la station de Kearney.

notes

1. longerons : pièces maîtresses longitudinales de la structure des wagons.

2. châssis : cadre soutenant la structure du wagon.

3. tender : wagon qui suit une locomotive à vapeur et qui contient le combustible et l'eau.

Là, les soldats du fort, attirés par les coups de feu, accoururent en hâte. Les Sioux ne les avaient pas attendus, et, avant l'arrêt complet du train, toute la bande avait décampé.

Mais quand les voyageurs se comptèrent sur le quai de la station, ils reconnurent que plusieurs manquaient à l'appel, et entre autres le courageux Français dont le dévouement venait de les sauver.

Au fil du texte

Questions sur le cinquième extrait (pp. 104-115)

QUE S'EST-IL PASSÉ ENTRE-TEMPS P. 103 ?

1. Quel incident a lieu à San Francisco ?

2. Que craint Mrs. Aouda ?

3. Qu'est-ce qui retarde le train au début du voyage ?

4. Quelle culture Passepartout découvre-t-il pendant son voyage en chemin de fer ?

5. Comment les voyageurs américains décident-ils de franchir l'obstacle constitué par le pont très endommagé ?

AVEZ-VOUS BIEN LU ?

6. Retracez le parcours du train.

7. À quel moment mémorable de l'histoire du chemin de fer américain est-il fait allusion ?

8. De quelle façon les craintes exprimées précédemment par Mrs. Aouda se réalisent-elles ?

9. Quel incident interrompt le duel entre le colonel Proctor et Phileas Fogg ?

10. Quelle est l'attitude de Mrs. Aouda pendant cette attaque ?

11. En faveur de qui est le rapport de forces ?

12. Qui sauve les passagers du train et comment ?

ÉTUDIER LE VOCABULAIRE ET LA GRAMMAIRE

13. Dans le passage « *Mrs. Aouda essaya vainement* [...] *un Yankee de sa trempe.* » (l. 90 à 139), relevez les adverbes de manière en –ment.

14. Comment forme-t-on les adverbes de manière en –ment ?

15. Dans le passage « *C'est à ce point* [...] *surgir du sol américain.* » (l. 24 à 38), repérez quatre compléments du nom, une épithète, une proposition subordonnée relative.

16. Indiquez, pour chacune de ces unités, le mot qu'elle complète.

ÉTUDIER LE DIALOGUE

17. Dans le passage « *Moi, je jouerais carreau* [...] *le grossier personnage* » (l. 59 à 74), quels signes de ponctuation spécifique du dialogue Jules Verne utilise-t-il ?

18. Relevez les verbes synonymes de « dire » qui servent à introduire les paroles des personnages.

19. Surlignez en bleu les parties qui représentent le récit du narrateur et en jaune les paroles des personnages.

À VOS PLUMES !

20. En écrivant à une amie, Mrs. Aouda fait le portrait de Phileas Fogg.

LIRE L'IMAGE

21. Que représente l'image page 111 ?

22. Quelles sont les armes utilisées ?

23. Pourquoi ce personnage agit-il ainsi, sur l'image page 114 ?

24. Donnez un adjectif pour qualifier sa position.

Coup de théâtre

Pendant l'attaque, plusieurs voyageurs, parmi lesquels le fidèle Passe-partout, ont été enlevés par les Sioux. Sans hésiter une seconde, Phileas Fogg part à la recherche de son domestique, appuyé par un petit détachement de volontaires. Le train repart, tandis que Mrs. Aouda et Fix attendent avec anxiété le retour de leurs compagnons. La petite troupe réussit à libérer les prisonniers sains et saufs et les voyageurs reprennent leur périple. En traîneau à voiles, ils rejoignent Omaha, puis, en train, gagnent New York, via Chicago. Mais à l'arrivée, le China, *sur lequel ils devaient embarquer à destination de Liverpool, vient de partir !*

Chapitre XXXII

En partant, le *China* semblait avoir emporté avec lui le dernier espoir de Phileas Fogg.

En effet, aucun des autres paquebots qui font le service direct entre l'Amérique et l'Europe, ni les transatlantiques français, ni les navires du « White-Star-line », ni les steamers de la Compagnie Imman, ni ceux de la ligne hambourgeoise, ni autres, ne pouvaient servir les projets du gentleman.

En effet, le *Pereire*, de la Compagnie transatlantique française – dont les admirables bâtiments égalent en vitesse et surpassent en confortable[1] tous ceux des autres lignes, sans exception –, ne partait que le surlendemain, 14 décembre. Et d'ailleurs, de même que ceux de la Compagnie hambourgeoise, il n'allait pas directement à Liverpool ou à Londres, mais au Havre, et cette traversée supplémentaire du Havre à Southampton, en retardant Phileas Fogg, eût annulé ses derniers efforts.

Quant aux paquebots Imman, dont l'un, le *City-of-Paris*, mettait en mer le lendemain, il n'y fallait pas songer. Ces navires sont particulièrement affectés au transport des émigrants, leurs machines sont faibles, ils naviguent autant à la voile qu'à la vapeur, et leur vitesse est médiocre. Ils employaient à cette traversée de New York à l'Angleterre plus de temps qu'il n'en restait à Mr. Fogg pour gagner son pari.

De tout ceci le gentleman se rendit parfaitement compte en consultant son *Bradshaw*, qui lui donnait, jour par jour, les mouvements de la navigation transocéanienne.

Passepartout était anéanti. Avoir manqué le paquebot de quarante-cinq minutes, cela le tuait. C'était sa faute, à lui, qui, au lieu d'aider son maître, n'avait cessé de semer des obstacles sur sa route ! Et quand il revoyait dans son esprit tous les incidents du voyage, quand il supputait[2] les sommes dépensées en pure perte et dans son seul intérêt, quand il songeait que cet énorme pari, en y joignant les frais

---

notes

1. confortable : confort.

2. supputait : faisait une estimation approximative.

considérables de ce voyage devenu inutile, ruinait complètement Mr. Fogg, il s'accablait d'injures.

Mr. Fogg ne lui fit, cependant, aucun reproche, et, en quittant le pier[1] des paquebots transatlantiques, il ne dit que ces mots :

« Nous aviserons demain. Venez. »

Mr. Fogg, Mrs. Aouda, Fix, Passepartout traversèrent l'Hudson dans le Jersey-city-ferry-boat, et montèrent dans un fiacre[2], qui les conduisit à l'hôtel Saint-Nicolas, dans Broadway[3]. Des chambres furent mises à leur disposition, et la nuit se passa, courte pour Phileas Fogg, qui dormit d'un sommeil parfait, mais bien longue pour Mrs. Aouda et ses compagnons, auxquels leur agitation ne permit pas de reposer.

Le lendemain, c'était le 12 décembre. Du 12, sept heures du matin, au 21, huit heures quarante-cinq minutes du soir, il restait neuf jours treize heures et quarante-cinq minutes. Si donc Phileas Fogg fût parti la veille par le *China*, l'un des meilleurs marcheurs de la ligne Cunard, il serait arrivé à Liverpool, puis à Londres, dans les délais voulus !

Mr. Fogg quitta l'hôtel, seul, après avoir recommandé à son domestique de l'attendre et de prévenir Mrs. Aouda de se tenir prête à tout instant.

Mr. Fogg se rendit aux rives de l'Hudson, et parmi les navires amarrés au quai ou ancrés dans le fleuve, il rechercha avec soin ceux qui étaient en partance. Plusieurs bâtiments avaient leur guidon de départ et se préparaient à prendre la mer à la marée du matin, car dans cet immense et admi-

notes

1. **pier** : quai.
2. **fiacre** : voiture à cheval.
3. **Broadway** : l'une des plus célèbres avenues de New York, dans Manhattan, centre de la vie nocturne et théâtrale.

rable port de New York, il n'est pas de jour où cent navires
65 ne fassent route pour tous les points du monde ; mais
la plupart étaient des bâtiments à voiles, et ils ne pouvaient
convenir à Phileas Fogg.

Ce gentleman semblait devoir échouer dans sa dernière
tentative, quand il aperçut, mouillé devant la Batterie, à une
70 encablure[1] au plus, un navire de commerce à hélice,
de formes fines, dont la cheminée, laissant échapper de gros
flocons de fumée, indiquait qu'il se préparait à appareiller[2].

Phileas Fogg héla[3] un canot, s'y embarqua, et, en quelques
coups d'aviron, il se trouvait à l'échelle de l'*Henrietta*,
75 steamer à coque de fer, dont tous les hauts[4] étaient en bois.

Le capitaine de l'*Henrietta* était à bord. Phileas Fogg monta
sur le pont et fit demander le capitaine. Celui-ci se présenta
aussitôt.

C'était un homme de cinquante ans, une sorte de loup
80 de mer, un bougon qui ne devait pas être commode. Gros
yeux, teint de cuivre oxydé[5], cheveux rouges, forte encolure[6], – rien de l'aspect d'un homme du monde.

« Le capitaine ? demanda Mr. Fogg.

– C'est moi.
85 – Je suis Phileas Fogg, de Londres.

– Et moi, Andrew Speedy, de Cardif.

– Vous allez partir ?...

– Dans une heure.

– Vous êtes chargé pour... ?
90 – Bordeaux.

---

notes

1. encablure : ancienne
mesure de longueur utilisée
pour estimer les petites
distances (environ 200 m).

2. appareiller : lever l'ancre.
3. héla : appela.
4. hauts : partie haute, qui
dépasse le pont.

5. teint de cuivre oxydé :
bronzé.
6. encolure : cou.

– Et votre cargaison ?

– Des cailloux dans le ventre. Pas de fret[1]. Je pars sur lest[2].

– Vous avez des passagers ?

– Pas de passagers. Jamais de passagers. Marchandise
encombrante et raisonnante.

– Votre navire marche bien ?

– Entre onze et douze nœuds[3]. L'*Henrietta*, bien connue.

– Voulez-vous me transporter à Liverpool, moi et trois
personnes ?

– À Liverpool ? Pourquoi pas en Chine ?

– Je dis Liverpool.

– Non !

– Non ?

– Non. Je suis en partance pour Bordeaux, et je vais
à Bordeaux.

– N'importe quel prix ?

– N'importe quel prix. »

Le capitaine avait parlé d'un ton qui n'admettait pas
de réplique.

« Mais les armateurs de l'*Henrietta*... reprit Phileas Fogg.

– Les armateurs, c'est moi, répondit le capitaine. Le navire
m'appartient.

– Je vous l'affrète[4].

– Non.

– Je vous l'achète.

– Non. »

Phileas Fogg ne sourcilla pas[5]. Cependant la situation était
grave. Il n'en était pas de New York comme de Hong-

notes

1. *fret :* cargaison.
2. *lest :* poids dont on charge un navire vide pour en assurer la stabilité.
3. *nœuds :* unité de vitesse pour les navires, correspondant à 1 mille marin à l'heure.
4. *affrète :* loue (un moyen de transport).
5. *ne sourcilla pas :* ne montra pas sa contrariété.

Kong, ni du capitaine de l'*Henrietta* comme du patron de la *Tankadère*. Jusqu'ici l'argent du gentleman avait toujours eu raison[1] des obstacles. Cette fois-ci, l'argent échouait.

Cependant, il fallait trouver le moyen de traverser l'Atlantique en bateau – à moins de le traverser en ballon –, ce qui eût été fort aventureux, et ce qui, d'ailleurs, n'était pas réalisable.

Il paraît, pourtant, que Phileas Fogg eut une idée, car il dit au capitaine :

« Eh bien, voulez-vous me mener à Bordeaux ?

– Non, quand même vous me paieriez deux cents dollars !

– Je vous en offre deux mille (10 000 fr.).

– Par personne ?

– Par personne.

– Et vous êtes quatre ?

– Quatre. »

Le capitaine Speedy commença à se gratter le front, comme s'il eût voulu en arracher l'épiderme. Huit mille dollars à gagner, sans modifier son voyage, cela valait bien la peine qu'il mît de côté son antipathie prononcée pour toute espèce de passager. Des passagers à deux mille dollars, d'ailleurs, ce ne sont plus des passagers, c'est de la marchandise précieuse.

« Je pars à neuf heures, dit simplement le capitaine Speedy, et si vous et les vôtres, vous êtes là ?...

– À neuf heures, nous serons à bord ! » répondit non moins simplement Mr. Fogg.

note

1. avait eu raison : avait vaincu.

Il était huit heures et demie. Débarquer de l'*Henrietta*, monter dans une voiture, se rendre à l'hôtel Saint-Nicolas, en ramener Mrs. Aouda, Passepartout,
150 et même l'inséparable Fix, auquel il offrait gracieusement le passage, cela fut fait par le gentleman avec ce calme qui ne l'abandonnait en aucune circonstance.

Au moment où l'*Henrietta* appareillait, tous quatre étaient à bord.

155 Lorsque Passepartout apprit ce que coûterait cette dernière traversée, il poussa un des ces « Oh ! » prolongés, qui parcourent tous les intervalles de la gamme chromatique[1] descendante !

Quant à l'inspecteur Fix, il se dit que décidément
160 la Banque d'Angleterre ne sortirait pas indemne de cette affaire. En effet, en arrivant et en admettant que le sieur Fogg n'en jetât pas encore quelques poignées à la mer, plus de sept mille livres (175 000 fr.) manqueraient au sac à banknotes !

Chapitre XXXIII

165 Une heure après, le steamer *Henrietta* dépassait le Lightboat[2] qui marque l'entrée de l'Hudson, tournait la pointe de Sandy-Hook et donnait en mer[3]. Pendant la journée, il prolongea Long-Island, au large du feu de Fire-Island, et courut rapidement vers l'est.
170 Le lendemain, 13 décembre, à midi, un homme monta sur la passerelle pour faire le point. Certes, on doit croire que

notes

1. *gamme chromatique :* gamme des couleurs.

2. *Light-boat :* phare.

3. *donnait en mer :* gagnait le large.

cet homme était le capitaine Speedy ! Pas le moins du monde. C'était Phileas Fogg. esq.

175 Quant au capitaine Speedy, il était tout bonnement enfermé à clef dans sa cabine, et poussait des hurlements qui dénotaient[1] une colère, bien pardonnable, poussée jusqu'au paroxysme[2].

Ce qui s'était passé était très simple. Phileas Fogg voulait aller à Liverpool, le capitaine ne voulait pas l'y conduire.

180 Alors Phileas Fogg avait accepté de prendre passage pour Bordeaux, et, depuis trente heures qu'il était à bord, il avait si bien manœuvré à coups de bank-notes, que l'équipage, matelots et chauffeurs – équipage un peu interlope[3], qui était en assez mauvais termes avec le capitaine –, lui appartenait.

185 Et voilà pourquoi Phileas Fogg commandait au lieu et place du capitaine Speedy, pourquoi le capitaine était enfermé dans sa cabine, et pourquoi enfin l'*Henrietta* se dirigeait vers Liverpool. Seulement, il était très clair, à voir manœuvrer Mr. Fogg, que Mr. Fogg avait été marin.

190 Maintenant, comment finirait l'aventure, on le saurait plus tard. Toutefois, Mrs. Aouda ne laissait pas d'être inquiète, sans en rien dire. Fix, lui, avait été abasourdi tout d'abord. Quant à Passepartout, il trouvait la chose tout simplement adorable.

195 « Entre onze et douze nœuds », avait dit le capitaine Speedy, et en effet l'*Henrietta* se maintenait dans cette moyenne de vitesse.

Si donc – que de « si » encore ! – si donc la mer ne devenait pas trop mauvaise, si le vent ne sautait pas dans l'est, s'il
200 ne survenait aucune avarie[4] au bâtiment, aucun accident

---

notes

1. **dénotaient :** révélaient.   3. **interlope :** louche.   4. **avarie :** panne.
2. **paroxysme :** maximum.

à la machine, l'*Henrietta*, dans les neuf jours comptés du 12 décembre au 21, pouvait franchir les trois mille milles qui séparent New York de Liverpool. Il est vrai qu'une fois arrivé, l'affaire de l'*Henrietta* brochant sur[1] l'affaire de la Banque, cela pouvait mener le gentleman un peu plus loin qu'il ne voudrait.

Pendant les premiers jours, la navigation se fit dans d'excellentes conditions. La mer n'était pas trop dure ; le vent paraissait fixé au nord-est ; les voiles furent établies, et, sous ses goélettes, l'*Henrietta* marcha comme un vrai transatlantique.

Passepartout était enchanté. Le dernier exploit de son maître, dont il ne voulait pas voir les conséquences, l'enthousiasmait. Jamais l'équipage n'avait vu un garçon plus gai, plus agile. Il faisait mille amitiés aux matelots et les étonnait par ses tours de voltige. Il leur prodiguait les meilleurs noms et les boissons les plus attrayantes. Pour lui, ils manœuvraient comme des gentlemen, et les chauffeurs chauffaient comme des héros. Sa bonne humeur, très communicative, s'imprégnait à[2] tous. Il avait oublié le passé, les ennuis, les périls. Il ne songeait qu'à ce but, si près d'être atteint, et parfois il bouillait d'impatience, comme s'il eût été chauffé par les fourneaux de l'*Henrietta*. Souvent aussi, le digne garçon tournait autour de Fix ; il le regardait d'un œil « qui en disait long » ! mais il ne lui parlait pas, car il n'existait plus aucune intimité entre les deux anciens amis.

D'ailleurs Fix, il faut le dire, n'y comprenait plus rien ! La conquête de l'*Henrietta*, l'achat de son équipage, ce Fogg manœuvrant comme un marin consommé[3], tout cet

notes

1. **brochant sur :** s'ajoutant à.   2. **s'imprégnait à :** se transmettait à.   3. **consommé :** expérimenté.

230 ensemble de choses l'étourdissait. Il ne savait plus que penser ! Mais, après tout, un gentleman qui commençait par voler cinquante-cinq mille livres pouvait bien finir par voler un bâtiment. Et Fix fut naturellement amené à croire que l'*Henrietta*, dirigée par Fogg, n'allait point du tout à Liver-
235 pool, mais dans quelque point du monde où le voleur, devenu pirate, se mettrait tranquillement en sûreté ! Cette hypothèse, il faut bien l'avouer, était on ne peut plus plausible, et le détective commençait à regretter très sérieusement de s'être embarqué dans cette affaire.

240 Quant au capitaine Speedy, il continuait à hurler dans sa cabine, et Passepartout, chargé de pourvoir à sa nourriture, ne le faisait qu'en prenant les plus grandes précautions, quelque vigoureux qu'il fût. Mr. Fogg, lui, n'avait plus même l'air de se douter qu'il y eût un capitaine à bord.

245 Le 13, on passe sur la queue du banc de Terre-Neuve. Ce sont là de mauvais parages. Pendant l'hiver surtout, les brumes y sont fréquentes, les coups de vent redoutables. Depuis la veille, le baromètre, brusquement abaissé, faisait pressentir un changement prochain dans l'atmosphère.
250 En effet, pendant la nuit, la température se modifia, le froid devint plus vif, et en même temps le vent sauta dans le sud-est.

C'était un contretemps. Mr. Fogg, afin de ne point s'écarter de sa route, dut serrer ses voiles et forcer de vapeur.
255 Néanmoins, la marche du navire fut ralentie, attendu[1] l'état de la mer, dont les longues lames brisaient contre son étrave[2]. Il éprouva des mouvements de tangage[3] très violents, et cela au détriment de sa vitesse. La brise tournait

notes

1. *attendu :* à cause de.　2. *étrave :* pièce qui forme l'avant du navire.　3. *tangage :* mouvement de roulis d'un navire.

peu à peu à l'ouragan, et l'on prévoyait déjà le cas
260 où l'*Henrietta* ne pourrait plus se maintenir debout à la lame[1].
Or, s'il fallait fuir, c'était l'inconnu avec toutes ses mauvaises
chances.

Le visage de Passepartout se rembrunit en même temps
que le ciel, et, pendant deux jours, l'honnête garçon
265 éprouva de mortelles transes[2]. Mais Phileas Fogg était
un marin hardi, qui savait tenir tête à la mer, et il fit
toujours route, même sans se mettre sous petite vapeur.
L'*Henrietta*, quand elle ne pouvait s'élever à la lame[3], passait
au travers, et son pont était balayé en grand, mais elle passait.
270 Quelquefois aussi l'hélice émergeait, battant l'air de ses
branches[4] affolées, lorsqu'une montagne d'eau soulevait
l'arrière hors des flots, mais le navire allait toujours
de l'avant.

Toutefois le vent ne fraîchit pas autant qu'on aurait
275 pu le craindre. Ce ne fut pas un de ces ouragans qui passent
avec une vitesse de quatre-vingt-dix milles à l'heure.
Il se tint au grand frais, mais malheureusement il souffla avec
obstination de la partie du sud-est et ne permit pas de faire
de la toile[5]. Et cependant, ainsi qu'on va le voir, il eût été
280 bien utile de venir en aide à la vapeur !

Le 16 décembre, c'était le soixante-quinzième jour écoulé
depuis le départ de Londres. En somme, l'*Henrietta* n'avait
pas encore un retard inquiétant. La moitié de la traversée
était à peu près faite, et les plus mauvais parages avaient été
285 franchis. En été, on eût répondu du succès. En hiver,

notes

1. se maintenir debout à la lame : faire face aux fortes vagues.
2. transes : craintes.

3. s'élever à la lame : se maintenir au-dessus des vagues.
4. branches : parties de l'hélice.

5. faire de la toile : déployer les voiles pour gagner de la vitesse.

on était à la merci de la mauvaise saison. Passepartout ne se prononçait pas. Au fond, il avait espoir, et, si le vent faisait défaut, du moins il comptait sur la vapeur.

290 Or, ce jour-là, le mécanicien étant monté sur le pont, rencontra Mr. Fogg et s'entretint assez vivement avec lui.

Sans savoir pourquoi – par un pressentiment sans doute –, Passepartout éprouva comme une vague inquiétude. Il eût donné une de ses oreilles pour entendre de l'autre ce qui se disait là. Cependant, il put saisir quelques mots, ceux-ci
295 entre autres, prononcés par son maître :

« Vous êtes certain de ce que vous avancez ?

– Certain, monsieur, répondit le mécanicien. N'oubliez pas que, depuis notre départ, nous chauffons avec tous nos fourneaux allumés, et si nous avions assez de charbon pour
300 aller à petite vapeur de New York à Bordeaux, nous n'en avons pas assez pour aller à toute vapeur de New York à Liverpool !

– J'aviserai », répondit Mr. Fogg.

Passepartout avait compris. Il fut pris d'une inquiétude
305 mortelle.

Le charbon allait manquer !

« Ah ! si mon maître pare[1] celle-là, se dit-il, décidément ce sera un fameux homme ! »

Et ayant rencontré Fix, il ne put s'empêcher de le mettre
310 au courant de la situation.

« Alors, lui répondit l'agent les dents serrées, vous croyez que nous allons à Liverpool !

– Parbleu !

note
1. pare : trouve une solution pour.

– Imbécile ! » répondit l'inspecteur, qui s'en alla, haussant
les épaules.

Passepartout fut sur le point de relever vertement[1] le quali-
ficatif, dont il ne pouvait d'ailleurs comprendre la vraie
signification ; mais il se dit que l'infortuné Fix devait être
très désappointé, très humilié dans son amour-propre, après
avoir si maladroitement suivi une fausse piste autour
du monde, et il passa condamnation[2].

Et maintenant quel parti allait prendre Phileas Fogg ? Cela
était difficile à imaginer. Cependant, il paraît que le flegmatique gentleman en prit un, car le soir même il fit venir
le mécanicien et lui dit :

« Poussez les feux et faites route jusqu'à complet épuise-
ment du combustible. »

Quelques instants après, la cheminée de l'*Henrietta* vomis-
sait des torrents de fumée.

Le navire continua donc de marcher à toute vapeur ;
mais ainsi qu'il l'avait annoncé, deux jours plus tard,
le 18, le mécanicien fit savoir que le charbon manquerait
dans la journée.

« Que l'on ne laisse pas baisser les feux, répondit Mr. Fogg.
Au contraire. Que l'on charge les soupapes[3].

Ce jour-là, vers midi, après avoir pris hauteur et calculé
la position du navire, Phileas Fogg fit venir Passepartout,
et il lui donna l'ordre d'aller chercher le capitaine Speedy.
C'était comme si on eût commandé à ce brave garçon
d'aller déchaîner un tigre, et il descendit dans la dunette[4],
se disant :

notes

1. vertement : vigoureusement.

2. passa condamnation : renonça à réagir.

3. soupapes : pièces du moteur du navire.

4. dunette : superstructure élevée sur le pont arrière d'un navire.

« Positivement[1] il sera enragé ! »

En effet, quelques minutes plus tard, au milieu de cris et de jurons, une bombe arrivait sur la dunette. Cette
345 bombe, c'était le capitaine Speedy. Il était évident qu'elle allait éclater.

« Où sommes-nous ? » telles furent les premières paroles qu'il prononça au milieu des suffocations de la colère, et certes, pour peu que le digne homme eût été apoplecti-
350 que[2], il n'en serait jamais revenu.

« Où sommes-nous ? répéta-t-il, la face congestionnée[3].

– À sept cent soixante-dix milles de Liverpool (300 lieues), répondit Mr. Fogg avec un calme imperturbable.

355 – Pirate ! s'écria Andrew Speedy.

– Je vous ai fait venir, monsieur...

– Écumeur de mer[4] !

– ... monsieur, reprit Phileas Fogg, pour vous prier de me vendre votre navire.

360 – Non ! de par tous les diables, non !

– C'est que je vais être obligé de le brûler.

– Brûler mon navire !

– Oui, du moins dans ses hauts, car nous manquons de combustible.

365 – Brûler mon navire ! s'écria le capitaine Speedy, qui ne pouvait même plus prononcer les syllabes. Un navire qui vaut cinquante mille dollars (250 000 fr.).

– En voici soixante mille (300 000 fr.) ! » répondit Phileas Fogg, en offrant au capitaine une liasse de bank-notes.

---

notes

1. **Positivement :** véritablement.

2. **apoplectique :** sujet à l'apoplexie (arrêt brutal des fonctions cérébrales).

3. **congestionnée :** rouge de colère.
4. **écumeur de mer :** pirate.

370   Cela fit un effet prodigieux sur Andrew Speedy. On n'est pas Américain sans que la vue de soixante mille dollars vous cause une certaine émotion. Le capitaine oublia en un instant sa colère, son emprisonnement, tous ses griefs[1] contre son passager. Son navire avait vingt ans. Cela pouvait

375 devenir une affaire d'or !... La bombe ne pouvait déjà plus éclater. Mr. Fogg en avait arraché la mèche.

    « Et la coque en fer me restera, dit-il d'un ton singulièrement radouci.

    – La coque en fer et la machine, monsieur. Est-ce conclu ?

380   – Conclu. »

    Et Andrew Speedy, saisissant la liasse de bank-notes, les compta et les fit disparaître dans sa poche.

    Pendant cette scène, Passepartout était blanc. Quant à Fix, il faillit avoir un coup de sang[2]. Près de vingt mille livres

385 dépensées, et encore ce Fogg qui abandonnait à son vendeur la coque et la machine, c'est-à-dire presque la valeur totale du navire ! Il est vrai que la somme volée à la banque s'élevait à cinquante-cinq mille livres !

    Quand Andrew Speedy eut empoché l'argent :

390   « Monsieur, lui dit Mr. Fogg, que tout ceci ne vous étonne pas. Sachez que je perds vingt mille livres, si je ne suis pas rendu à Londres le 21 décembre, à huit heures quarante-cinq du soir. Or, j'avais manqué le paquebot de New York, et comme vous refusiez de me conduire à Liverpool...

395   – Et j'ai bien fait, par les cinquante mille diables de l'enfer, s'écria Andrew Speedy, puisque j'y gagne au moins quarante mille dollars. »

notes

1. **griefs :** raisons d'en vouloir.

2. **avoir un coup de sang :** se sentir mal.

Puis, plus posément :

« Savez-vous une chose, ajouta-t-il, capitaine ?...

400 – Fogg.

– Capitaine Fogg, eh bien, il y a du Yankee en vous. »

Et après avoir fait à son passager ce qu'il croyait être un compliment, il s'en allait, quand Phileas Fogg lui dit :

« Maintenant ce navire m'appartient ?

405 – Certes, de la quille[1] à la pomme[2] des mâts, pour tout ce qui est bois, s'entend !

– Bien. Faites démolir les aménagements intérieurs et chauffez avec ces débris. »

On juge ce qu'il fallut consommer de ce bois sec pour 410 maintenir la vapeur en suffisante pression. Ce jour-là, la dunette, les rouffles[3], les cabines, les logements, le faux pont, tout y passa.

Le lendemain, 19 décembre, on brûla la mâture, les dromes, les esparres[4]. On abattit les mâts, on les débita à coups 415 de hache. L'équipage y mettait un zèle incroyable. Passepartout, taillant, coupant, sciant, faisait l'ouvrage de dix hommes. C'était une fureur de démolition.

Le lendemain, 20, les bastingages[5], les parois, les œuvres-mortes[6], la plus grande partie du pont furent dévorés. 420 L'*Henrietta* n'était plus qu'un bâtiment rasé comme un ponton.

Mais, ce jour-là, on avait eu connaissance de[7] la côte d'Irlande et du feu de Fastenet.

---

notes

1. quille : partie inférieure du navire.
2. pomme : sommet.
3. rouffles : emplacements à l'air libre sur un navire.

4. dromes, esparres : pièces en bois d'un navire.
5. bastingages : parapets bordant le pont d'un navire.
6. œuvres-mortes : tout ce qui dépasse de l'eau.

7. on en avait eu connaissance de : on était en vue de.

Toutefois, à dix heures du soir, le navire n'était encore que par le travers[1] de Queenstown. Phileas Fogg n'avait plus que vingt-quatre heures pour atteindre Londres ! Or, c'était le temps qu'il fallait à l'*Henrietta* pour gagner Liverpool, – même en marchant à toute vapeur. Et la vapeur allait manquer enfin à l'audacieux gentleman !

« Monsieur, lui dit alors le capitaine Speedy, qui avait fini par s'intéresser à ses projets, je vous plains vraiment. Tout est contre vous ! Nous ne sommes encore que devant Queenstown.

– Ah ! fit Mr. Fogg, c'est Queenstown, cette ville dont nous apercevons les feux ?

– Oui.

– Pouvons-nous entrer dans le port ?

– Pas avant trois heures. À pleine mer seulement.

– Attendons ! » répondit tranquillement Phileas Fogg, sans laisser voir sur son visage que, par une suprême inspiration, il allait tenter de vaincre encore une fois la chance contraire !

En effet, Queenstown est un port de la côte d'Irlande dans lequel les transatlantiques qui viennent des États-Unis jettent en passant leur sac aux lettres. Ces lettres sont emportées à Dublin par des express[2] toujours prêts à partir. De Dublin elles arrivent à Liverpool par des steamers de grande vitesse, – devançant ainsi de douze heures les marcheurs les plus rapides des compagnies maritimes.

Ces douze heures que gagnait ainsi le courrier d'Amérique, Phileas Fogg prétendait les gagner aussi. Au lieu d'arriver sur l'*Henrietta*, le lendemain soir, à Liverpool, il y serait à midi, et, par conséquent, il aurait le temps

notes

1. par le travers : au large.   *2. express :* trains rapides.

d'être à Londres avant huit heures quarante-cinq minutes du soir.

455 Vers une heure du matin, l'*Henrietta* entrait à haute mer dans le port de Queenstown, et Phileas Fogg, après avoir reçu une vigoureuse poignée de main du capitaine Speedy, le laissait sur la carcasse rasée de son navire, qui valait encore la moitié de ce qu'il l'avait vendue !

460 Les passagers débarquèrent aussitôt. Fix, à ce moment, eut une envie féroce d'arrêter le sieur Fogg. Il ne le fit pas, pourtant ! Pourquoi ? Quel combat se livrait donc en lui ? Était-il revenu sur[1] le compte de Mr. Fogg ? Comprenait-il enfin qu'il s'était trompé ? Toutefois, Fix n'abandonna pas
465 Mr. Fogg. Avec lui, avec Mrs. Aouda, avec Passepartout, qui ne prenait plus le temps de respirer, il montait dans le train de Queenstown à une heure et demie du matin, arrivait à Dublin au jour naissant, et s'embarquait aussitôt sur un de ces steamers – vrais fuseaux d'acier, tout en machine
470 – qui, dédaignant de s'élever à la lame, passent invariablement au travers.

À midi moins vingt, le 21 décembre, Phileas Fogg débarquait enfin sur le quai de Liverpool. Il n'était plus qu'à six heures de Londres.

475 Mais à ce moment, Fix s'approcha, lui mit la main sur l'épaule, et, exhibant[2] son mandat :

« Vous êtes bien le sieur Phileas Fogg ? dit-il.

– Oui, monsieur.

– Au nom de la reine, je vous arrête ! »

notes

1. Était-il revenu sur : Avait-il changé d'avis sur.   **2. exhibant :** montrant.

Chapitre XXXIV

480 Phileas Fogg était en prison. On l'avait enfermé dans le poste de Custom-house, la douane de Liverpool, et il devait y passer la nuit en attendant son transfèrement à Londres.

Au moment de l'arrestation, Passepartout avait voulu 485 se précipiter sur le détective. Des policemen le retinrent. Mrs. Aouda, épouvantée par la brutalité du fait, ne sachant rien, n'y pouvait rien comprendre. Passepartout lui expliqua la situation. Mr. Fogg, cet honnête et courageux gentleman, auquel elle devait la vie, était arrêté comme voleur. La jeune 490 femme protesta contre une telle allégation[1], son cœur s'indigna, et des pleurs coulèrent de ses yeux, quand elle vit qu'elle ne pouvait rien faire, rien tenter, pour sauver son sauveur.

Quant à Fix, il avait arrêté le gentleman parce que son 495 devoir lui commandait de l'arrêter, fût-il coupable ou non. La justice en déciderait.

Mais alors une pensée vint à Passepartout, cette pensée terrible qu'il était décidément la cause de tout ce malheur ! En effet, pourquoi avait-il caché cette aventure à Mr. Fogg ? 500 Quand Fix avait révélé et sa qualité d'inspecteur de police et la mission dont il était chargé, pourquoi avait-il pris sur lui de ne point avertir son maître ? Celui-ci, prévenu, aurait sans doute donné à Fix des preuves de son innocence ; il lui aurait démontré son erreur ; en tout cas, il n'eût pas 505 véhiculé à ses frais et à ses trousses ce malencontreux agent, dont le premier soin avait été de l'arrêter, au moment .

note

1. *allégation* : affirmation.

où il mettait le pied sur le sol du Royaume-Uni.
En songeant à ses fautes, à ses imprudences, le pauvre garçon
était pris d'irrésistibles remords. Il pleurait, il faisait peine
à voir. Il voulait se briser la tête !

Mrs. Aouda et lui étaient restés, malgré le froid, sous
le péristyle[1] de la douane. Ils ne voulaient ni l'un ni l'autre
quitter la place. Ils voulaient revoir encore une fois
Mr. Fogg.

Quant à ce gentleman, il était bien et dûment[2] ruiné,
et cela au moment où il allait atteindre son but. Cette
arrestation le perdait sans retour. Arrivé à midi moins vingt
à Liverpool, le 21 décembre, il avait jusqu'à huit heures
quarante-cinq minutes pour se présenter au Reform-Club,
soit neuf heures quinze minutes, – et il ne lui en fallait que
six pour atteindre Londres.

En ce moment, qui eût pénétré dans le poste de la douane
eût trouvé Mr. Fogg, immobile, assis sur un banc de bois,
sans colère, imperturbable. Résigné, on n'eût pu le dire,
mais ce dernier coup n'avait pu l'émouvoir, au moins
en apparence. S'était-il formé en lui une de ces rages
secrètes, terribles parce qu'elles sont contenues, et qui
n'éclatent qu'au dernier moment avec une force irrésistible ?
On ne sait. Mais Phileas Fogg était là, calme, attendant...
quoi ? Conservait-il quelque espoir ? Croyait-il encore
au succès, quand la porte de cette prison était fermée sur lui ?

Quoi qu'il en soit, Mr. Fogg avait soigneusement posé
sa montre sur une table et il en regardait les aiguilles
marcher. Pas une parole ne s'échappait de ses lèvres, mais
son regard avait une fixité singulière.

notes

1. péristyle : colonnade.   **2. dûment :** réellement.

En tout cas, la situation était terrible, et, pour qui ne pouvait lire dans cette conscience, elle se résumait ainsi :

Honnête homme, Phileas Fogg était ruiné.

Malhonnête homme, il était pris.

540 Eut-il alors la pensée de se sauver ? Songea-t-il à chercher si ce poste présentait une issue praticable ? Pensa-t-il à fuir ? On serait tenté de le croire, car, à un certain moment, il fit le tour de la chambre. Mais la porte était solidement fermée et la fenêtre garnie de barreaux de fer. Il vint donc

545 se rasseoir, et il tira de son portefeuille l'itinéraire du voyage. Sur la ligne qui portait ces mots :

« 21 décembre, samedi, Liverpool »,

il ajouta :

« 80e jour, 11 h 40 du matin »,

550 et il attendit.

Une heure sonna à l'horloge de Custom-house. Mr. Fogg constata que sa montre avançait de deux minutes sur cette horloge.

Deux heures ! En admettant qu'il montât en ce moment

555 dans un express, il pouvait encore arriver à Londres et au Reform-Club avant huit heures quarante-cinq du soir. Son front se plissa légèrement...

À deux heures trente-trois minutes, un bruit retentit au-dehors, un vacarme de portes qui s'ouvraient. On enten-

560 dait la voix de Passepartout, on entendait la voix de Fix.

Le regard de Phileas Fogg brilla un instant.

La porte du poste s'ouvrit, et il vit Mrs. Aouda, Passepartout, Fix, qui se précipitèrent vers lui.

Fix était hors d'haleine[1], les cheveux en désordre...

565 Il ne pouvait parler !

---

note

1. hors d'haleine : essoufflé.

« Monsieur, balbutia-t-il, monsieur... pardon... une ressemblance déplorable... Voleur arrêté depuis trois jours... vous... libre ! »

Phileas Fogg était libre ! Il alla au détective. Il le regarda bien en face, et, faisant le seul mouvement rapide qu'il eût jamais fait et qu'il dût jamais faire de sa vie, il ramena ses deux bras en arrière, puis, avec la précision d'un automate, il frappa de ses deux poings le malheureux inspecteur.

« Bien tapé ! » s'écria Passepartout, qui, se permettant un atroce jeu de mots, bien digne d'un Français, ajouta : « Pardieu ! voilà ce qu'on peut appeler une belle application de poings d'Angleterre ! »

Fix, renversé, ne prononça pas un mot. Il n'avait que ce qu'il méritait. Mais aussitôt Mr. Fogg, Mrs. Aouda, Passepartout quittèrent la douane. Ils se jetèrent dans une voiture, et, en quelques minutes, ils arrivèrent à la gare de Liverpool.

Phileas Fogg demanda s'il y avait un express prêt à partir pour Londres...

Il était deux heures quarante... L'express était parti depuis trente-cinq minutes.

Phileas Fogg commanda alors un train spécial.

Il y avait plusieurs locomotives de grande vitesse en pression ; mais, attendu les exigences du service, le train spécial ne put quitter la gare avant trois heures.

À trois heures, Phileas Fogg, après avoir dit quelques mots au mécanicien d'une certaine prime à gagner, filait dans la direction de Londres, en compagnie de la jeune femme et de son fidèle serviteur.

Il fallait franchir en cinq heures et demie la distance qui sépare Liverpool de Londres –, chose très faisable, quand la voie est libre sur tout le parcours. Mais il y eut des retards forcés, et, quand le gentleman arriva à la gare, neuf heures moins dix sonnaient à toutes les horloges de Londres.

600   Phileas Fogg, après avoir accompli ce voyage autour du monde, arrivait avec un retard de cinq minutes !...

Il avait perdu.

Pari gagné

Bien qu'il ne le montre pas, Phileas Fogg accuse le coup : ce retard lui fait perdre son pari et provoque sa ruine. Passepartout et Mrs. Aouda sont inquiets, aussi la jeune femme propose-t-elle à son bienfaiteur de l'épouser : on supporte mieux l'adversité à deux. Abandonnant pour la première fois sa réserve toute britannique, Phileas Fogg lui avoue ses sentiments et ils décident de se marier le lendemain. Pendant son absence, l'aventure de ce gentleman soupçonné à tort de vol, qui avait parié une fortune sur un projet à première vue insensé, a fait la une des journaux anglais et, dans la capitale, l'opinion publique attend avec impatience l'issue de l'histoire. Au Reform-Club, ses honorables membres sont persuadés d'avoir gagné leur pari...

Chapitre XXXVI

[...] – En effet, reprit Thomas Flanagan, le projet de Phileas Fogg était insensé. Quelle que fût son exactitude, il ne pouvait empêcher des retards inévitables de se produire, et un retard de deux ou trois jours seulement suffisait à compromettre son voyage.

– Vous remarquerez, d'ailleurs, ajouta John Sullivan, que nous n'avons reçu aucune nouvelle de notre collègue, et, cependant, les fils télégraphiques ne manquaient pas sur son itinéraire.

– Il a perdu, messieurs, reprit Andrew Stuart, il a cent fois perdu ! Vous savez, d'ailleurs, que le *China* – le seul paquebot de New York qu'il pût prendre pour venir à Liverpool en temps utile – est arrivé hier. Or, voici la liste des passagers, publiée par la *Shipping Gazette*, et le nom de Phileas Fogg n'y figure pas. En admettant les chances les plus favorables, notre collègue est à peine en Amérique ! J'estime à vingt jours, au moins, le retard qu'il subira sur la date convenue, et le vieux Lord Albermale en sera, lui aussi, pour ses cinq mille livres !

– C'est évident, répondit Gauthier Ralph, et demain nous n'aurons qu'à présenter chez Baring frères le chèque de Mr. Fogg. »

En ce moment l'horloge du salon sonna huit heures quarante.

« Encore cinq minutes », dit Andrew Stuart.

Les cinq collègues se regardaient. On peut croire que les battements de leur cœur avaient subi une légère accélération, car enfin, même pour de beaux joueurs, la partie était forte ! Mais ils n'en voulaient rien laisser paraître, car, sur la proposition de Samuel Fallentin, ils prirent place à une table de jeu.

« Je ne donnerais pas ma part de quatre mille livres dans le pari, dit Andrew Stuart en s'asseyant, quand même on m'en offrirait trois mille neuf cent quatre-vingt-dix-neuf ! »

L'aiguille marquait, en ce moment, huit heures quarante-deux minutes.

. Les joueurs avaient pris les cartes, mais, à chaque instant, leur regard se fixait sur l'horloge. On peut affirmer que, quelle que fût leur sécurité, jamais minutes ne leur avaient paru si longues !

« Huit heures quarante-trois », dit Thomas Flanagan, en coupant le jeu que lui présentait Gauthier Ralph.

Puis un moment de silence se fit. Le vaste salon du club était tranquille. Mais, au-dehors, on entendait le brouhaha de la foule, que dominaient parfois des cris aigus. Le balancier de l'horloge battait la seconde avec une régularité mathématique. Chaque joueur pouvait compter les divisions sexagésimales[1] qui frappaient son oreille.

« Huit heures quarante-quatre ! » dit John Sullivan d'une voix dans laquelle on sentait une émotion involontaire.

Plus qu'une minute, et le pari était gagné. Andrew Stuart et ses collègues ne jouaient plus. Ils avaient abandonné les cartes ! Ils comptaient les secondes !

À la quarantième seconde, rien. À la cinquantième, rien encore !

À la cinquante-cinquième, on entendit comme un tonnerre au-dehors, des applaudissements, des hurrahs, et même des imprécations[2], qui se propagèrent dans un roulement continu.

Les joueurs se levèrent.

À la cinquante-septième seconde, la porte du salon s'ouvrit, et le balancier n'avait pas battu la soixantième seconde, que Phileas Fogg apparaissait, suivi d'une foule en délire qui avait forcé l'entrée du club, et de sa voix calme :

« Me voici, messieurs », disait-il.

notes

1. *sexagésimales :* par unités de soixante.   2. *imprécations :* injures.

Au Reform-Club, le 21 décembre.

Chapitre XXXVII

Oui ! Phileas Fogg en personne.

On se rappelle qu'à huit heures cinq du soir – vingt-cinq heures environ après l'arrivée des voyageurs à Londres –, Passepartout avait été chargé par son maître de prévenir le révérend[1] Samuel Wilson au sujet d'un certain mariage qui devait se conclure le lendemain même.

Passepartout était donc parti, enchanté. Il se rendit d'un pas rapide à la demeure du révérend Samuel Wilson, qui n'était pas encore rentré. Naturellement, Passepartout attendit, mais il attendit vingt bonnes minutes au moins.

Bref, il était huit heures trente-cinq quand il sortit de la maison du révérend. Mais dans quel état ! Les cheveux en désordre, sans chapeau, courant, courant, comme on n'a jamais vu courir de mémoire d'homme, renversant les passants, se précipitant comme une trombe sur les trottoirs !

En trois minutes, il était de retour à la maison de Saville-row, et il tombait, essoufflé, dans la chambre de Mr. Fogg.

Il ne pouvait parler.

« Qu'y a-t-il ? demanda Mr. Fogg.

– Mon maître... balbutia Passepartout... mariage... impossible.

– Impossible ?

– Impossible... pour demain.

– Pourquoi ?

– Parce que demain... c'est dimanche !

– Lundi, répondit Mr. Fogg.

– Non... aujourd'hui... samedi.

note

1. révérend : pasteur, dans l'Église anglicane.

– Samedi ? impossible !

95 – Si, si, si, si ! s'écria Passepartout. Vous vous êtes trompé d'un jour ! Nous sommes arrivés vingt-quatre heures en avance... mais il ne reste plus que dix minutes !... »

Passepartout avait saisi son maître par le collet[1], et il l'entraînait avec une force irrésistible !

100 Phileas Fogg, ainsi enlevé, sans avoir le temps de réfléchir, quitta sa chambre, quitta sa maison, sauta dans un cab, promit cent livres au cocher, et après avoir écrasé deux chiens et accroché cinq voitures, il arriva au Reform-Club.

L'horloge marquait huit heures quarante-cinq, quand 105 il parut dans le grand salon...

Phileas Fogg avait accompli ce tour du monde en quatre-vingts jours !...

Phileas Fogg avait gagné son pari de vingt mille livres !

Et maintenant, comment un homme si exact, si méticu-110 leux[2], avait-il pu commettre cette erreur de jour ? Comment se croyait-il au samedi soir, 21 décembre, quand il débarqua à Londres, alors qu'il n'était qu'au vendredi, 20 décembre, soixante-dix-neuf jours seulement après son départ ?

115 Voici la raison de cette erreur. Elle est fort simple.

Phileas Fogg avait, « sans s'en douter », gagné un jour sur son itinéraire, – et cela uniquement parce qu'il avait fait le tour du monde en allant vers l'*est*, et il eût, au contraire, perdu ce jour en allant en sens inverse, soit vers l'*ouest*.

120 En effet, en marchant vers l'est, Phileas Fogg allait au-devant du soleil, et, par conséquent, les jours dimi-nuaient pour lui d'autant de fois quatre minutes qu'il fran-

---

notes

1. **collet :** col.

2. **méticuleux :** précis jusque dans les moindres détails.

chissait de degrés dans cette direction. Or, on compte trois cent soixante degrés sur la circonférence terrestre, et ces trois cent soixante degrés, multipliés par quatre minutes, donnent précisément vingt-quatre heures, – c'est-à-dire ce jour inconsciemment gagné. En d'autres termes, pendant que Phileas Fogg, marchant vers l'est, voyait le soleil passer *quatre-vingts fois* au méridien, ses collègues restés à Londres ne le voyaient passer que *soixante-dix-neuf fois*. C'est pourquoi, ce jour-là même, qui était le samedi et non le dimanche, comme le croyait Mr. Fogg, ceux-ci l'attendaient dans le salon du Reform-Club.

Et c'est ce que la fameuse montre de Passepartout – qui avait toujours conservé l'heure de Londres – eût constaté si, en même temps que les minutes et les heures, elle eût marqué les jours !

Phileas Fogg avait donc gagné les vingt mille livres. Mais comme il en avait dépensé en route environ dix-neuf mille, le résultat pécuniaire[1] était médiocre. Toutefois, on l'a dit, l'excentrique gentleman n'avait, en ce pari, cherché que la lutte, non la fortune. Et même, les mille livres restant, il les partagea entre l'honnête Passepartout et le malheureux Fix, auquel il était incapable d'en vouloir. Seulement, et pour la régularité, il retint à son serviteur le prix des dix-neuf cent vingt heures de gaz dépensé par sa faute.

Ce soir-là même, Mr. Fogg, aussi impassible, aussi flegmatique, disait à Mrs. Aouda :

« Ce mariage vous convient-il toujours, madame ?

– Monsieur Fogg, répondit Mrs. Aouda, c'est à moi de vous faire cette question. Vous étiez ruiné, vous voici riche...

note

1. *pécuniaire :* financier.

– Pardonnez-moi, madame, cette fortune vous appartient. Si vous n'aviez pas eu la pensée de ce mariage, mon domestique ne serait pas allé chez le révérend Samuel Wilson, je n'aurais pas été averti de mon erreur, et...

– Cher monsieur Fogg..., dit la jeune femme.

– Chère Aouda... », répondit Phileas Fogg.

On comprend bien que le mariage se fit quarante-huit heures plus tard, et Passepartout, superbe, resplendissant, éblouissant, y figura comme témoin de la jeune femme. Ne l'avait-il pas sauvée, et ne lui devait-on pas cet honneur ?

Seulement, le lendemain, dès l'aube, Passepartout frappait avec fracas à la porte de son maître.

La porte s'ouvrit, et l'impassible gentleman parut.

« Qu'y a-t-il, Passepartout ?

– Ce qu'il y a, monsieur ! Il y a que je viens d'apprendre à l'instant...

– Quoi donc ?

– Que nous pouvions faire le tour du monde en soixante-dix-huit jours seulement.

– Sans doute, répondit Mr. Fogg, en ne traversant pas l'Inde. Mais si je n'avais pas traversé l'Inde, je n'aurais pas sauvé Mrs. Aouda, elle ne serait pas ma femme, et... »

Et Mr. Fogg ferma tranquillement la porte.

Ainsi donc Phileas Fogg avait gagné son pari. Il avait accompli en quatre-vingts jours ce voyage autour du monde ! Il avait employé pour ce faire tous les moyens de transport, paquebots, railways, voitures, yachts, bâtiments de commerce, traîneaux, éléphant. L'excentrique gentleman avait déployé dans cette affaire ses merveilleuses qualités de sang-froid et d'exactitude. Mais après ? Qu'avait-il gagné à ce déplacement ? Qu'avait-il rapporté de ce voyage ?

185   Rien, dira-t-on ? Rien, soit, si ce n'est une charmante femme, qui – quelque invraisemblable que cela puisse paraître – le rendit le plus heureux des hommes !

En vérité, ne ferait-on pas, pour moins que cela, le Tour du Monde ?

QUE S'EST-IL PASSÉ ENTRE-TEMPS ?

1. Qu'arrive-t-il à Passepartout pendant l'attaque du train ?

2. Quelle décision Phileas Fogg prend-il ? Quelles en sont les conséquences ?

3. Quels moyens de transport les voyageurs utilisent-ils pour rejoindre New York ?

4. Comment Phileas Fogg parvient-il à atteindre Liverpool ?

5. Quel nouvel obstacle rencontre-t-il sur l'*Henrietta* et comment le résout-il ?

6. Quel coup de théâtre se produit lorsqu'il débarque enfin à Liverpool ?

AVEZ-VOUS BIEN LU ?

7. Quelle est la réaction de Phileas Fogg, de Mrs. Aouda et de Passepartout ?

8. Pourquoi Phileas Fogg est-il finalement libéré ?

9. Quel est le premier geste de colère que Phileas Fogg s'autorise depuis le début de l'aventure ?

10. À quelle heure Phileas Fogg arrive-t-il à Londres ? Quelle en est la conséquence ?

11. Quelle est l'ambiance au Reform-Club vers huit heures quarante ?

12. Que se passe-t-il à huit heures quarante-quatre minutes et cinquante-sept secondes ?

13. Par quel nouveau retournement de situation Phileas Fogg gagne-t-il son pari ?

14. Dans quelles circonstances apprend-il qu'il a évité la ruine ?

ÉTUDIER LE VOCABULAIRE ET LA GRAMMAIRE

* *suspense :* moment ou passage d'un récit susceptible de faire naître un sentiment d'attente angoissée.

* *point de vue :* personnage qui raconte l'histoire.

15. Quels sont les temps de l'indicatif utilisés dans le passage « *Phileas Fogg était en prison* [...] *pour sauver son sauveur.* » (l. 480 à 493), p. 137 ?

16. Donnez la valeur d'utilisation de chacun.

17. Relevez les termes du vocabulaire géographique dans le passage « *En effet, en marchant vers l'est* [...] *soixante-dix neuf fois.* » (l. 120 à 130).

18. Page 139, l'auteur utilise deux antonymes à propos de Phileas Fogg. Lesquels ?

ÉTUDIER LE DÉNOUEMENT

19. L'auteur accentue le suspense★ en créant un sentiment d'urgence. De quel complément circonstanciel se sert-il pour cela ?

20. Dans le chapitre XXXVI, quel point de vue★ adopte l'auteur pour renforcer le suspense ?

21. Quelle erreur d'appréciation Phileas Fogg avait-il faite, en calculant le temps nécessaire à son trajet ?

22. Le lecteur s'attend-il à un dénouement favorable à Phileas Fogg ?

23. Ce dénouement est-il vraisemblable ?

À VOS PLUMES !

24. Racontez l'aventure du point de vue de Phileas Fogg. Le récit sera à la première personne, il exprimera les sentiments du héros par rapport à sa victoire et dressera un bilan de son aventure.

LIRE L'IMAGE

25. Quels sont les personnages représentés sur l'image page 145 ?

26. Que révèle leur expression ?

Retour sur l'œuvre

AVEZ-VOUS BIEN LU ?

1. Placez dans l'ordre chronologique les événements suivants :

a) Le gentleman londonien et son domestique prennent le train pour Douvres.

b) Phileas Fogg embauche un Français débrouillard, surnommé Passepartout.

c) À Suez, l'inspecteur Fix les attend sur le quai du port, en compagnie du consul britannique.

d) Un vol important a été commis à la Banque d'Angleterre.

e) Les voyageurs traversent l'Inde à dos d'éléphant.

f) Ayant raté le *Carnatic* en partance pour Yokohama, Phileas Fogg loue une goélette, la *Tankadère*.

g) Le *Mongolia* les emmène de Brindisi à Bombay, par le canal de Suez.

h) À Hong-Kong, Phileas Fogg et Passepartout sont arrêtés, mais parviennent à obtenir leur libération contre une forte caution.

i) Les voyageurs sauvent Mrs. Aouda, une ravissante Parsie, d'une mort atroce.

j) Ayant raté le *China*, paquebot qui assure la liaison entre New York et Liverpool, Phileas Fogg loue l'*Henrietta*.

k) À bord du *General-Grant*, les voyageurs font la traversée vers San Francisco.

l) Phileas Fogg épouse Mrs. Aouda.

m) Phileas Fogg et ses compagnons de voyage traversent l'Amérique en train.

n) Phileas Fogg pénètre dans le grand salon du Reform-Club où sont réunis ses cinq collègues, le vendredi 20 décembre à huit heures quarante-quatre et cinquante-sept secondes.

o) À Liverpool, l'inspecteur Fix arrête Phileas Fogg, suspecté d'avoir commis le vol de la Banque d'Angleterre.

p) Phileas Fogg parie avec les membres du Reform-Club qu'il fera le tour du monde en quatre-vingts jours.

LES PERSONNAGES

2. Entourez, pour chaque personnage, les adjectifs qui décrivent son caractère.

a) Phileas Fogg : flegmatique, cruel, généreux, injuste, maniaque de la ponctualité, intrépide.

b) Passepartout : astucieux, insouciant, fiable, adroit, insolent, malhonnête.

c) Fix : tenace, maladroit, vantard, ingénieux, scrupuleux.

3. Dans sa course contre la montre, Phileas Fogg a été aidé par certains personnages, tandis que d'autres se sont opposés à lui. Dans la liste ci-dessous, lesquels se sont révélés des aides, lesquels des ennemis ?

a) Passepartout

b) Fix

c) le Parsi, maître de Kioni

d) les Sioux

e) les prêtres hindous

f) le colonel Proctor

g) le capitaine de la *Tankadère*

LES TRANSPORTS

4. Énumérez les moyens de transport utilisés par Phileas Fogg pendant son voyage.

Lesquels font partie des nouveaux moyens de transport apparus lors de la révolution industrielle du XIXe siècle ?

LES LIEUX

5. Retrouvez pour chacune de ces villes traversées par Phileas Fogg et ses compagnons le pays correspondant :

San Francisco   Chine
Yokohama   Inde
Calcutta   États-Unis
Londres   Japon
Shangaï   Royaume-Uni

Dossier
Bibliocollège

Itinéraire de Phileas Fogg

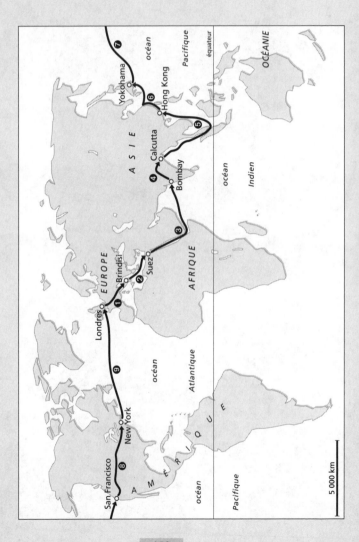

Schéma narratif

SITUATION INITIALE

Phileas Fogg, gentleman qui mène une vie très
routinière à Londres, engage un nouveau domestique :
Passepartout, un Français débrouillard, très éloigné
du profil classique du majordome anglais
(chapitres I et II).

ÉLÉMENT PERTURBATEUR

Lors de sa partie de whist quotidienne avec
les membres du très select Reform-Club, Phileas
Fogg parie qu'il fera le tour du monde
en quatre-vingts jours. Il part le soir même
avec Passepartout (chapitres III et IV).

PÉRIPÉTIES

• En route vers l'Inde

Après son départ, on apprend qu'un important vol
a eu lieu à la Banque d'Angleterre et que
le signalement du voleur correspond à celui de Phileas
Fogg. La police se lance sur ses traces. L'inspecteur Fix
le reconnaît quand il débarque à Suez, mais il doit
attendre le mandat envoyé de Londres, pour pouvoir
l'arrêter (chapitres V à IX).
Arrivé à Bombay, en Inde, Passepartout visite
la pagode de Malebar-Hill. Ignorant que pénétrer
chaussé dans ce lieu de culte est un délit, il en est
chassé par des prêtres hindous furieux. L'inspecteur

Fix, qui a suivi son suspect, compte tirer parti de cet incident, pour stopper son avancée (chapitre X).

En traversant l'Inde à dos d'éléphant, les voyageurs sauvent, au péril de leur vie, Mrs. Aouda, une jeune femme vouée à une mort affreuse : épouse d'un maharadjah décédé, elle devait périr avec lui sur le bûcher, comme le veut la coutume ancestrale (chapitres XI à XIV).

Après avoir failli être arrêté à Calcutta à cause de l'incident de Bombay, Phileas Fogg embarque pour Hong-Kong avec Passepartout et Mrs. Aouda, l'inspecteur Fix à ses trousses. N'ayant toujours pas reçu le mandat d'arrêt, celui-ci tente de retarder son suspect en piégeant son domestique : ivre, Passepartout ne parvient pas à prévenir son maître que leur paquebot pour le Japon part plus tôt (chapitres XV à XIX).

- **À travers le Japon**

Ayant raté le paquebot et perdu son domestique, Phileas Fogg affrète une petite goélette qui l'emmène à Shangaï avec Mrs. Aouda. Fix embarque avec lui. Mais une terrible tempête les retarde et ils ratent le départ du *Carnatic* (chapitres XX et XXI).

De son côté, Passepartout a réussi à embarquer sur le paquebot, croyant y retrouver son maître. S'apercevant qu'il est seul et sans ressources à son arrivée au Japon, il tente de gagner sa vie dans une troupe acrobatique. Entre-temps, Phileas Fogg a réussi à rejoindre le *Carnatic*, en pleine mer. Arrivé à Yokohama, il retrouve son domestique et ils continuent le voyage à bord du *General-Grant*, à destination de San Francisco, Fix les suivant discrètement (chapitres XXII à XXIV).

• **L'Amérique**

Après une altercation avec le colonel Stamp W. Proctor, un Américain irascible, les voyageurs prennent place à bord du train qui relie la côte ouest à la côte est des États-Unis d'Amérique. Après avoir traversé à toute vitesse un pont qui menaçait de s'écrouler, le train est attaqué par les Sioux. Grâce à son astuce, Passepartout sauve le convoi, mais est fait prisonnier par les Indiens. Aidé par un petit groupe de militaires du fort de Kearney, Phileas Fogg parvient à le libérer, mais le train est reparti sans eux (chapitres XXV à XXX).

Pour rejoindre New York, afin de prendre le paquebot de Liverpool, les voyageurs louent un traîneau à voiles, mais ils ratent de peu le départ du *China*. Encore une fois, Phileas Fogg affrète un bateau, l'*Henrietta*. Cependant, le steamer, dont la destination initiale était Bordeaux, se retrouve à court de combustible pour finir le trajet. Phileas Fogg fait brûler toutes les boiseries du navire pour atteindre sa destination (chapitres XXXI à XXXIII).

ÉLÉMENTS DE RÉSOLUTION

Aussitôt débarqués sur le sol anglais, Fix arrête Phileas Fogg pour le vol de la Banque d'Angleterre. Finalement, il s'aperçoit de son erreur, le véritable voleur venant d'être appréhendé. Mais c'est un retard de trop : Phileas Fogg arrive à Londres un jour trop tard et perd son pari ; il est ruiné. Pour le consoler,

Mrs. Aouda lui révèle les sentiments qu'elle nourrit pour lui et lui propose le mariage (chapitres XXXIV à XXXV).

En allant chercher le révérend Samuel Wilson, qui doit célébrer cette union, Passepartout réalise que son maître s'est trompé dans le décompte des jours : Phileas Fogg arrive au Reform-Club trois secondes avant la fin du temps imparti (chapitre XXXVI).

SITUATION FINALE

Blanchi de tout soupçon, Phileas Fogg a gagné son pari, conservé sa fortune et trouvé une compagne pour la vie (chapitre XXXVII).

Il était une fois Jules Verne

Précurseur des écrits de science-fiction, Jules Verne traduit dans la littérature du XIXe siècle les aspirations de son époque : l'intérêt pour les découvertes géographiques et l'essor de la science. Travailleur infatigable, il réalisera une soixantaine de romans, regroupés sous le titre de *Voyages extraordinaires*, qui sont devenus de grands classiques de la littérature de jeunesse. Il aura ainsi atteint l'objectif qu'il s'était fixé avec l'éditeur Pierre-Jules Hetzel, qui fut son fidèle compagnon dans cette aventure littéraire : distraire tout en instruisant.

L'APPEL DU LARGE

Jules, premier des cinq enfants de la famille Verne, voit le jour à Nantes le 8 février 1828. La branche paternelle est vouée à la magistrature, tandis que la mère est descendante d'armateurs et de navigateurs. La mer, les bras de la Loire qu'il aperçoit des fenêtres de son appartement, l'effervescence du port, où il s'aventure pour de petites promenades en compagnie de son frère Paul, le fascinent et le font rêver. À l'âge de onze ans, il aurait même embarqué en cachette sur un trois-mâts en partance pour l'Inde, son père l'aurait rattrapé *in extremis*, en lui faisant promettre de ne plus voyager dorénavant.... qu'en pensée.

Au lycée, l'adolescent semble plus passionné par les schémas de machines invraisemblables, dont il couvre ses cahiers, que par ses études. Après le baccalauréat,

Date clé

1828 : naissance de Jules Verne, à Nantes.

il suit sans enthousiasme des études de droit, car son père souhaiterait qu'il prenne sa succession. Ayant obtenu de faire sa troisième année à Paris, il découvre les salons parisiens, guidé par un de ses oncles. Il y fait des rencontres qui le marquent : Victor Hugo, Nadar – le pionnier de la photographie –, les frères Arago – célèbres explorateurs –, Alexandre Dumas père et fils. Il se lie avec Alexandre Dumas fils, qui triomphe au théâtre avec *La Dame aux camélias*, et celui-ci l'introduit dans le milieu théâtral ; Jules Verne devient secrétaire du Théâtre lyrique.

NAISSANCE D'UN ÉCRIVAIN

Séduit par l'effervescence des milieux littéraires, Jules Verne refuse de suivre le choix de son père : il ne sera pas homme de loi à Nantes, il deviendra écrivain à Paris !

Les débuts sont modestes : il publie quelques nouvelles, fait jouer une de ses pièces de théâtre. Toujours attiré par des voyages imaginaires, il passe ses journées à la Bibliothèque nationale, où il étudie les mappemondes et découvre les progrès rapides de la science.

Dates clés

1857 : mariage avec Honorine, une jeune veuve, mère de deux fillettes que Jules Verne élèvera.

1861 : naissance de leur fils unique, Michel.

Mais Jules a vingt-neuf ans, le succès tarde à venir. Il fait la connaissance d'une jeune veuve et l'épouse. Pour subvenir aux besoins du ménage, il devient agent de change à la Bourse de Paris. Mais il ne renonce pas à ses ambitions littéraires : réveillé tous les matins à l'aube, il écrit avant de se rendre à son travail. Il lit aussi beaucoup, fait la découverte d'Edgar Allan Poe, dont l'imagination fantastique le séduit, continue à se passionner pour les découvertes scientifiques qui se succèdent et, pendant ses vacances, réalise un vieux rêve : embarquer pour l'Écosse, puis la Norvège.

En 1862, sa rencontre avec Pierre-Jules Hetzel, éditeur de génie qui publie les plus grands écrivains de l'époque, marque un tournant. Celui-ci accepte de publier son roman *Cinq semaines en ballon* – c'est un triomphe. Une nouvelle forme de roman est née, le roman de la science, et pendant quarante ans, soixante-deux romans et dix-huit nouvelles vont paraître, sous le titre de *Voyages extraordinaires*.

Pendant que dans la vraie vie les hommes découvrent le chemin de fer, l'avion, la photographie et le téléphone, l'imagination de Jules Verne entraîne ses lecteurs, grâce aux éditions rouge et or de Hetzel, autour du monde, au centre de la Terre, au fond des océans et jusqu'à la Lune.

Avec un remarquable talent visionnaire, l'écrivain utilise les découvertes de son siècle et va plus loin, en imaginant ce que la science ne rendra réalisable que plus tard. Les parutions s'enchaînent et beaucoup sont des best-sellers : *Voyage au centre de la Terre* (1864), *Les Enfants du capitaine Grant* (1865), *De la Terre à la Lune* (1865), *Vingt mille lieues sous les mers* (1870), *Le Tour du monde en quatre-vingts jours* (1872), *L'Île mystérieuse* (1874), *Michel Strogoff* (1876), *Un capitaine de quinze ans* (1878), *Mathias Sandorf* (1885)...

Le succès de ses œuvres permet désormais à la famille Verne de vivre confortablement : ils s'installent dans la tranquille ville d'Amiens, dont Honorine, son épouse, est originaire, et Jules va réaliser un vieux rêve : acheter un bateau, puis un deuxième, puis un troisième. Il fera quelques croisières, mais n'ira jamais aussi loin que ses héros. Comme ses lecteurs,

Date clé

1862 : rencontre avec l'éditeur Pierre-Jules Hetzel et signature de son premier contrat.

Date clé

1872 : publication du *Tour du monde en quatre-vingts jours*.

Jules Verne parcourra le monde sans quitter son fauteuil.

LES ANNÉES SOMBRES

Malgré sa célébrité littéraire, à partir de 1886, la vie de Jules Verne s'assombrit. D'abord des soucis familiaux : son fils Michel peine à trouver sa voie, il divorce ; un de ses neveux, dans un accès de folie, tire sur lui, le blessant au pied ; Honorine est malade. Ensuite, la disparition d'êtres chers l'affecte profondément : son éditeur Pierre-Jules Hetzel , suivi de sa mère et de son frère Paul, dont il était très proche.

Cependant, l'écrivain continue à travailler d'arrache-pied, mais sa vision du monde se modifie : l'optimisme confiant dans le progrès de l'humanité, grâce à une science en plein essor, se teinte de pessimisme et l'écrivain se tourne vers des thèmes nouveaux : le rôle de la femme, le développement économique, la quête d'identité, les problèmes de la cité (il devient conseiller municipal d'Amiens).

Heureusement, les relations avec son fils unique, Michel, se sont apaisées et celui-ci s'implique dans l'écriture de ses dernières œuvres, que le fils de son ami Hetzel continue à publier. Mais, terrassé par une crise de diabète, il s'éteint le 24 mars 1905 à Amiens. Cinq romans posthumes seront publiés par son fils, qui n'hésitera pas à les remanier. Le dernier sera édité par la société Hachette, qui a acheté les éditions Hetzel en 1914.

Le monde a bien changé depuis 1863, quand Jules Verne a publié son premier roman, mais le succès

Date clé

1905 : décès de Jules Verne, à Amiens.

de ses voyages imaginaires n'a jamais été démenti :
des versions cinématographiques inspirées de ses
œuvres, d'innombrables sites internet, le trophée qui
porte son nom (voyage autour du monde à la voile,
en moins de quatre-vingts jours), le font revivre dans
la mémoire collective et ses œuvres restent des
« incontournables » de la littérature dédiée au jeune
public.

Jules Verne et son époque

Pour comprendre l'homme, pour pénétrer l'œuvre, il est utile de se pencher sur l'époque. Contrairement à son illustre contemporain, Victor Hugo, Jules Verne n'a pas fait le choix de refléter dans ses livres les bouleversements politiques et sociaux dont son époque a été le théâtre. Il s'est, par contre, abondamment inspiré des progrès technologiques qu'il a étudiés avec passion toute sa vie.

LA FRANCE DANS LA TOURMENTE : LA FIN DÉFINITIVE DE LA MONARCHIE

Dates clés

1815-1830 : Restauration.

1830-1848 : Monarchie de Juillet.

En 1828, lorsque Jules Verne naît, la France est en pleine évolution. Après plusieurs siècles de stabilité, elle a connu des soubresauts historiques qui l'ont profondément bouleversée : la Révolution de 1789, le Directoire, le Consulat, le Premier Empire de Napoléon Bonaparte, puis la Restauration, qui fait revenir au pouvoir la dynastie des Bourbons, en 1815, avec Louis XVIII (1815-1824), puis Charles X (1824-1830). Cependant, les fondements de la monarchie sont profondément ébranlés : le roi partage le pouvoir avec la Chambre des pairs (qu'il nomme) et la chambre des députés (élus au suffrage censitaire, réservé aux citoyens fortunés). Une insurrection populaire secoue Paris lors des Trois Glorieuses, en 1830, et renverse le roi. Louis-Philippe monte alors sur le trône et son règne, la Monarchie de Juillet, prendra fin en 1848 avec une nouvelle insurrection populaire, qui marque un vent de révolte contre l'ordre établi et se propage à toute l'Europe. En 1848, naît donc la IIe République, à son tour balayée par le coup d'État du 2 décembre 1851 de Louis Napoléon, neveu de Napoléon Bonaparte, qui se fait proclamer empereur sous le nom de Napoléon III en 1852. La guerre entre la France et l'Allemagne de 1870 signe la fin du régime et fait perdre deux régions au pays : l'Alsace et une partie de la Lorraine, qui ne redeviendront françaises qu'à la fin de la Première Guerre mondiale.

La IIIe République à peine proclamée en 1870, une guerre civile oppose les insurgés de la Commune à l'armée gouvernementale, provoquant un bain de sang du 18 mars au 28 mai 1871. Après cet épisode sanglant, la République s'installe enfin durablement en France.

Dates clés

1848-1852 :
IIe République.

1852-1870 :
Second Empire.

1870 :
Proclamation de la Troisième République.

UN NOUVEAU SOUFFLE : LA RÉVOLUTION INDUSTRIELLE

À travers ces bouleversements, la France est en marche vers une nouvelle ère : la révolution industrielle, commencée en Angleterre avec l'invention de la machine à vapeur par James Watt, en 1769, traverse la Manche et provoque des changements importants dans la société française.

L'exploitation de nouvelles sources d'énergie – le charbon, le pétrole et l'électricité –, ouvre la voie à un essor sans précédent de l'économie française. Une cascade d'inventions modifie profondément le travail et les comportements. Les transports deviennent plus rapides grâce à la locomotive à vapeur, au chemin de fer, au bateau à vapeur, à l'automobile

À retenir

La révolution industrielle apparaît à la fin du XIXe siècle grâce à l'utilisation du charbon, du pétrole et de l'électricité.

et au dirigeable. Les communications se développent grâce au téléphone et au télégraphe. Dans la vie quotidienne, l'ampoule électrique à incandescence, la photographie, le cinéma, le vaccin contre la rage apportent des modifications notables. L'industrie voit apparaître un nouveau secteur : la sidérurgie, avec l'invention de l'acier.

À retenir
Avec l'enracinement de la République, de nouvelles libertés apparaissent peu à peu.

Les nouveaux modes de production – le travail à la chaîne et la production en série – font émerger une nouvelle classe sociale : les ouvriers.

Et, difficilement, un nouvel ordre social se met en place : aux inégalités dénoncées par Victor Hugo dans *Les Misérables*, à l'intolérance dénoncée par Émile Zola dans *J'accuse,* succèdent des libertés démocratiques durement acquises : l'abolition de l'esclavage, le suffrage universel masculin, le droit de grève, les libertés syndicales.

Les régions françaises parlent d'une même voix grâce à l'enseignement laïque et obligatoire institué par Jules Ferry en 1871.

À retenir
À la fin du xixe siècle, la France connaît une période de prospérité économique.

C'est une période de grande prospérité économique où les progrès techniques de la révolution industrielle, mis au service de l'industrie, de l'agriculture et des transports, améliorent la vie des Français, tandis la France étend son influence dans le monde en bâtissant un véritable empire colonial, qui va également être source de richesses pour le pays.

Un roman qui amuse et instruit

S'INSTRUIRE EN LISANT

En 1862, quand Jules Verne rencontre l'éditeur Hetzel,
celui-ci convainc le jeune écrivain de se consacrer à
une nouvelle forme de roman : « le roman de la science ».
Il s'agit de « constituer un enseignement de la famille
dans le vrai sens du mot, un enseignement sérieux
et attrayant à la fois, qui plaise aux parents et profite
aux enfants ». Ainsi naissent *Les Voyages dans les mondes
connus et inconnus*, qui deviennent en 1866 *Les Voyages
extraordinaires*. Pendant quarante ans, paraissent
soixante-deux romans et dix-huit nouvelles, d'abord
en feuilleton dans *Le Magasin illustré d'éducation
et de récréation* publié par Hetzel, puis en volumes
illustrés à couverture rouge et or.
Le Tour du monde en quatre-vingts jours atteint
parfaitement l'objectif fixé par l'éditeur : c'est
un roman à facettes multiples, qui captive autant
qu'il instruit.

UNE EXPÉDITION GÉOGRAPHIQUE

Passionné par la géographie dans sa jeunesse, Jules
Verne passe de longues heures en bibliothèque pour
étudier les cartes et les mappemondes. Comme son
héros, Phileas Fogg, « personne ne possédait mieux
que lui la carte du monde. Il n'était endroit si reculé
dont il ne parût avoir une connaissance spéciale.
[...] C'était un homme qui avait dû voyager partout,
– en esprit, tout au moins ».

Plus tard, installé dans le petit village de Crotoy, dans l'estuaire de la Somme, l'écrivain rédige une *Géographie illustrée de la France et de ses colonies*. Cette passion transparaît dans ses romans, qui dessinent une véritable géographie planétaire, dont *Le Tour du monde en quatre-vingts jours* est un morceau de choix.

C'est par goût pour le voyage, mais aussi par fidélité aux aspirations de son époque, que Jules Verne fait de la découverte géographique des espaces traversés une des dominantes de son œuvre : les paysages de l'Inde, de la Chine, du Japon et des États-Unis sont minutieusement passés en revue.

Le voyage donne souvent lieu à une étude comparée et critique des modes de vie des habitants et c'est souvent Passepartout qui l'exprime : on le voit abasourdi devant la colère des prêtres de la pagode de Malebar-Hill, étonné par les coutumes étranges des Mormons, effrayé par l'inconscience des passagers américains du train lancé à folle allure pour franchir un pont qui s'écroule.

Un manuel de navigation

Passionné également par les bateaux et fin connaisseur des termes de navigation, Jules Verne se sert des nombreuses traversées maritimes de ses héros pour instruire le jeune lecteur : à travers des descriptions minutieuses, on découvre paquebots, steamers et goélettes, on se familiarise avec les termes techniques – la dunette, le bastingage, les rouffles –, on apprend les caractéristiques de navigation de chaque type de navire.

UNE DÉCOUVERTE DE LA COLONISATION

Une grande partie des territoires traversés
appartiennent à l'Empire colonial britannique
et le roman donne au lecteur un aperçu de certains
aspects de la colonisation. Ainsi, Phileas Fogg réalise
un gain de temps non négligeable grâce à la récente
ouverture du canal de Suez. En Inde, le lecteur
découvre l'impuissance du pouvoir britannique à faire
cesser des pratiques ancestrales considérées comme
barbares en Europe (le sacrifice d'une veuve à la mort
de son mari) et le souci du colonisateur de ne pas
heurter les populations en abolissant ces pratiques
(Passepartout et son maître sont arrêtés car
le domestique a pénétré chaussé dans une pagode).
À Hong-Kong, Passepartout s'étonne car « À peu
de choses près, c'était encore Bombay, Calcutta
ou Singapore, que le digne garçon retrouvait sur
son parcours. Il y a ainsi comme une traînée de villes
anglaises tout autour du monde ».
Au-delà de Hong Kong, l'inspecteur Fix ne peut plus
exercer son mandat, car ce protectorat anglais
constitue la limite orientale de l'Empire colonial
britannique.

UNE LEÇON SUR LA RÉVOLUTION DES MOYENS DE TRANSPORT

Au XIXe siècle, les moyens de transport connaissent
une véritable révolution. Grâce aux progrès techniques,
l'homme vainc les distances et franchit des obstacles
naturels infranchissables jusqu'alors. De nouvelles voies
de communication sont ouvertes, désenclavant
des régions isolées et mettant à portée du voyageur

européen des civilisations peu connues auparavant. En même temps, ce rapprochement des cultures modifie les modes de vie, faisant pénétrer la modernité occidentale dans des contrées lointaines.

Jules Verne se fait l'écho de cet essor : Phileas Fogg gagne son pari grâce aux découvertes récentes de son époque : voiture, bateau à vapeur, chemin de fer.

UNE EXPLICATION SUR LES FUSEAUX HORAIRES

Phileas Fogg gagne son pari par erreur : il s'est trompé dans le décompte des jours en franchissant le méridien opposé à celui de Greenwich, situé à 180° de latitude et qui correspond à la ligne de changement de date. S'il est peu vraisemblable qu'un marin aussi averti que Fogg oublie ce principe élémentaire – celui du gain d'un jour en voyageant vers l'est –, il est par contre tout à fait probable que Jules Verne ait fondé la chute de son roman sur cet oubli, à la fois pour maintenir le suspense et pour avoir l'occasion d'expliquer au jeune lecteur ce paradoxe géographique : « Neuf jours après avoir quitté Yokohama, Phileas Fogg avait exactement parcouru la moitié du globe terrestre. En effet, le *General-Grant*, le 23 novembre, passait au cent quatre-vingtième méridien, celui sur lequel se trouvent, dans l'hémisphère austral, les antipodes de Londres. Sur quatre-vingts jours mis à sa disposition, Mr. Fogg, il est vrai, en avait employé cinquante-deux, et il ne lui en restait plus que vingt-huit à dépenser. Mais il faut remarquer que si le gentleman se trouvait à moitié route seulement "par la différence des méridiens", il avait en réalité accompli plus des deux tiers du parcours total. »

Ainsi Jules Verne relève le défi lancé par Hetzel – divertir tout en instruisant –, mais il le porte plus loin : son roman didactique contient les ingrédients d'un vrai succès littéraire : défi humain, enquête policière, histoire d'amour.

Groupement de textes
Voyages extraordinaires vers la Lune

Magnifiée ou crainte, la Lune a toujours fait rêver les hommes. Et le plus audacieux de ces rêves a été de s'y rendre, bien avant que les progrès de la science permettent à Neil Armstrong d'en fouler le sol, le 21 juillet 1969. Pour y parvenir en imagination, des écrivains ont inventé des moyens invraisemblables : le boulet d'un canon géant, un ballon, la marée… Mais, quel qu'ait été le moyen choisi pour l'accomplir, ce rêve a inspiré quelques pages parmi les plus connues de l'histoire de la littérature.

Jules Verne, De la Terre à la Lune

On a souvent vu en Jules Verne un écrivain visionnaire, précurseur de la littérature de science-fiction, qui a permis d'accomplir par la pensée bon nombre de périples encore hors d'atteinte pour les Terriens du XIXe siècle. Parmi ses *Voyages extraordinaires*, celui vers la Lune est l'un des plus audacieux, car l'écrivain l'imagine un siècle avant que les progrès de la science permettent réellement un tel exploit.

Aux États-Unis, pendant la guerre de Sécession, un nouveau club, très influent, s'établit dans la ville de Baltimore – le Gun-Club –, dont les membres sont fabricants et marchands d'armes. Passionnés par l'art de la guerre, ils supportent difficilement le désœuvrement forcé dans lequel les plonge la signature des accords de paix. Leurs inventions meurtrières, qu'ils perfectionnent de plus en plus, étant leur raison de vivre, ils n'envisagent pas de se consacrer désormais à des occupations plus pacifiques. Cette situation les désole, lorsque soudain, leur président, Barbicane, leur soumet une idée qui pourrait relancer leur activité et faire renouer le Gun-Club avec sa splendeur passée...

Il n'est aucun de vous, braves collègues, qui n'ait vu la Lune, ou tout au moins, qui n'en ait entendu parler. Ne vous étonnez pas si je viens vous entretenir ici de l'astre des nuits. Il nous est peut-être réservé d'être les Colombs de ce monde inconnu. Comprenez-moi, secondez-moi de tout votre pouvoir, je vous mènerai à sa conquête, et son nom se joindra à ceux des trente-six États qui forment ce grand pays de l'Union !

– Hurrah pour la Lune ! s'écria le Gun-Club d'une seule voix.

– On a beaucoup étudié la Lune, reprit Barbicane ; sa masse, sa densité, son poids, son volume, sa constitution, ses mouvements, sa distance, son rôle dans le monde solaire, sont parfaitement déterminés ; on a dressé des cartes sélénographiques avec une perfection qui égale, si même elle ne surpasse pas, celle des cartes terrestres ; la photographie a donné de notre satellite des épreuves d'une incomparable beauté. En un mot, on sait de la Lune tout ce que les sciences mathématiques, l'astronomie, la géologie, l'optique peuvent en apprendre ; mais jusqu'ici il n'a jamais été établi de communication directe avec elle. [...]

« Le moyen d'y parvenir est simple, facile, certain, immanquable, et il va faire l'objet de ma proposition. »

Un brouhaha, une tempête d'exclamations accueillit ces paroles. Il n'était pas un seul des assistants qui ne fût dominé, entraîné, enlevé par les paroles de l'orateur.

« Écoutez ! écoutez ! Silence donc ! » s'écria-t-on de toutes parts. Lorsque l'agitation fut calmée, Barbicane reprit d'une voix plus grave son discours interrompu :

« Vous savez, dit-il, quels progrès la balistique a faits depuis quelques années et à quel degré de perfection les armes à feu seraient parvenues, si la guerre eût continué. Vous n'ignorez pas non plus que, d'une façon générale, la force de résistance des canons et la puissance expansive de la poudre sont illimitées. Eh bien ! partant de ce principe, je me suis demandé si, au moyen d'un appareil suffisant, établi dans des conditions de résistance déterminées, il ne serait pas possible d'envoyer un boulet dans la Lune. »

À ces paroles, un « oh ! » de stupéfaction s'échappa de mille poitrines haletantes ; puis il se fit un moment de silence, semblable à ce calme profond qui précède les coups de tonnerre. Et, en effet, le tonnerre éclata, mais un tonnerre d'applaudissements, de cris, de clameurs, qui fit trembler la salle des séances. Le président voulait parler ; il ne le pouvait pas. Ce ne fut qu'au bout de dix minutes qu'il parvint à se faire entendre.

« Laissez-moi achever, reprit-il froidement. J'ai pris la question sous toutes ses faces, je l'ai abordée résolument, et de mes calculs indiscutables il résulte que tout projectile doué d'une vitesse initiale de douze mille yards par seconde, et dirigé vers la Lune, arrivera nécessairement jusqu'à elle. J'ai donc l'honneur de vous proposer, mes braves collègues, de tenter cette petite expérience !

Jules Verne, *De la Terre à la Lune*, 1865.

JULES VERNE, *AUTOUR DE LA LUNE*

Les membres du Gun-Club ont réussi leur pari : la construction d'un boulet géant susceptible d'atteindre la Lune, propulsé par un canon géant, est achevée. Feront partie de l'expédition : le président Barbicane, le capitaine Nicholl, un Français – Michel Ardan – et deux chiens – Diane et Satellite –, destinés à acclimater sur la Lune la race canine. Le départ est prévu pour le 1er décembre, à 10 heures 47 du soir.

– Dix heures quarante deux ! dit Nicholl.
– Plus que cinq minutes ! répondit Barbicane.
– Oui ! cinq petites minutes ! répliqua Michel Ardan. Et nous sommes enfermés dans un boulet au fond d'un canon de neuf cents pieds ! Et sous ce boulet sont entassés quatre cent mille livres de fulmi-coton qui valent seize cent mille livres de poudre ordinaire ! Et l'ami Murchison, son chronomètre à la main, l'œil

fixé sur l'aiguille, le doigt posé sur l'appareil électrique, compte les secondes et va nous lancer dans les espaces interplanétaires !....
– Assez, Michel, assez ! dit Barbicane d'une voix grave. Préparons-nous. Quelques instants seulement nous séparent d'un moment suprême. Une poignée de main, mes amis.
– Oui », s'écria Michel Ardan, plus ému qu'il ne voulait le paraître.
Ces trois hardis compagnons s'unirent dans une dernière étreinte.
« Dieu nous garde ! » dit le religieux Barbicane.
Michel Ardan et Nicholl s'étendirent sur les couchettes disposées au centre du disque.
« Dix heures quarante sept ! » murmura le capitaine.
Vingt secondes encore ! Barbicane éteignit rapidement le gaz et se coucha près de ses compagnons.
Le profond silence n'était interrompu que par les battements du chronomètre frappant la seconde.
Soudain, un choc épouvantable se produisit, et le projectile, sous la poussée de six milliards de litres de gaz développés par la déflagration du pyroxile, s'enleva dans l'espace.

Jules Verne, *Autour de la Lune*, 1870.

EDMOND ROSTAND, CYRANO DE BERGERAC

À Paris, sous Louis XIII, Cyrano de Bergerac, cadet gascon, a l'honneur chatouilleux et l'épée impatiente, surtout lorsqu'on fait allusion à son grand nez. Sous son apparence de spadassin féroce, il cache une âme de poète et souffre en silence d'un amour sans espoir pour sa cousine, Roxane, ravissante précieuse. Celle-ci aime Christian de Neuvillette, beau jeune homme qui appartient au même régiment que Cyrano. À la veille du siège de La Rochelle, où son amant sera exposé à tous les dangers, la jeune femme veut l'épouser. Mais ce mariage risque d'être empêché par le comte de Guiche, puissant aristocrate, lui aussi amoureux de Roxane. Magnanime, Cyrano exauce le vœu de sa cousine en retardant l'intrus par un moyen original : il lui fait le récit de sept moyens imaginaires pour monter vers la Lune...

Cyrano, *rayonnant.*
C'est à Paris que je retombe !

Tout à fait à son aise, riant, s'époussetant, saluant.
J'arrive – excusez-moi – par la dernière trombe.
Je suis un peu couvert d'éther. J'ai voyagé.
J'ai les yeux tout remplis de poudre d'astres. J'ai
Aux éperons, encor, quelques poils de planète !
Cueillant quelque chose sur sa manche.
Tenez, sur mon pourpoint, un cheveu de comète !...

Il souffle comme pour le faire envoler.
De Guiche, *hors de lui.*
Monsieur !...

Cyrano, *au moment où il va passer, tend sa jambe comme pour y montrer quelque chose et l'arrête.*
Dans mon mollet je rapporte une dent
De la Grande Ourse, – et comme, en frôlant le Trident,
Je voulais éviter une de ses trois lances,
Je suis allé tomber assis dans les Balances,
Dont l'aiguille, à présent, là-haut, marque mon poids !

Empêchant vivement De Guiche de passer et le prenant à un bouton du pourpoint.
Si vous serriez mon nez, Monsieur, entre vos doigts,
Il jaillirait du lait !

De Guiche
Hein ? du lait ?

Cyrano
De la Voie
Lactée !...

De Guiche
Oh ! par l'enfer !

CYRANO
C'est le ciel qui m'envoie !

Se croisant les bras.

Non ! croiriez-vous, je viens de le voir en tombant,
Que Sirius, la nuit, s'affuble d'un turban ?
Confidentiel.
L'autre Ourse est trop petite encor pour qu'elle morde !

Riant.

J'ai traversé la Lyre en cassant une corde !
Superbe.
Mais je compte en un livre écrire tout ceci,
Et les étoiles d'or qu'en mon manteau roussi
Je viens de rapporter à mes périls et risques,
Quand on l'imprimera, serviront d'astérisques !

DE GUICHE
À la parfin... je veux...

CYRANO
Vous, je vous vois venir !

DE GUICHE
Monsieur !

CYRANO
Vous voudriez de ma bouche tenir
Comment la Lune est faite, et si quelqu'un habite
Dans la rotondité de cette cucurbite ?

DE GUICHE, *criant.*
Mais non ! je veux...

CYRANO
Savoir comment j'y suis monté ?
Ce fut par un moyen que j'avais inventé.

DE GUICHE, *découragé.*
C'est un fou !

CYRANO, *dédaigneux.*
Je n'ai pas refait l'aigle stupide
De Regiomontanus, ni le pigeon timide
D'Archytas !...

DE GUICHE
C'est un fou, – mais c'est un fou savant.

CYRANO
Non, je n'imitai rien de ce qu'on fit avant !

De Guiche a réussi à passer et il marche vers la porte de Roxane.
Cyrano le suit, prêt à l'empoigner.

J'inventai six moyens de violer l'azur vierge !

DE GUICHE, *se retournant.*
Six ?

CYRANO, *avec volubilité.*
Je pouvais, mettant mon corps nu comme un cierge,
Le caparaçonner de fioles de cristal
Toutes pleines des pleurs d'un ciel matutinal,
Et ma personne, alors, au soleil exposée,
L'astre l'aurait humée en humant la rosée !

DE GUICHE, *surpris et faisant un pas vers Cyrano.*
Tiens ! Oui, cela fait un !

CYRANO, *reculant pour l'entraîner de l'autre côté.*
Et je pouvais encor
Faire engouffrer du vent, pour prendre mon essor,
En raréfiant l'air dans un coffre de cèdre
Par des miroirs ardents, mis en icosaèdre !

DE GUICHE *fait encore un pas.*
Deux !

CYRANO, *reculant toujours.*
Ou bien, machiniste autant qu'artificier,
Sur une sauterelle aux détentes d'acier,
Me faire, par des feux successifs de salpêtre,
Lancer dans les prés bleus où les astres vont paître !

DE GUICHE, *le suivant sans s'en douter et comptant sur ses doigts.*
Trois !

CYRANO
Puisque la fumée a tendance à monter,
En souffler dans un globe assez pour m'emporter !

DE GUICHE, *même jeu, de plus en plus étonné.*
Quatre !

CYRANO
Puisque Phœbé, quand son arc est le moindre,
Aime sucer, ô bœufs, votre moelle... m'en oindre !

DE GUICHE, *stupéfait.*
Cinq !

CYRANO, *qui en parlant l'a amené jusqu'à l'autre côté de la place, près d'un banc.*
Enfin, me plaçant sur un plateau de fer,
Prendre un morceau d'aimant et le lancer en l'air !
Ça, c'est un bon moyen : le fer se précipite,
Aussitôt que l'aimant s'envole, à sa poursuite ;
On relance l'aimant bien vite, et cadédis !
On peut monter ainsi indéfiniment.

DE GUICHE
Six !
— Mais voilà six moyens excellents !... Quel système
Choisîtes-vous des six, Monsieur ?

CYRANO
Un septième !

DE GUICHE
Par exemple ! Et lequel ?

CYRANO
Je vous le donne en cent !

DE GUICHE
C'est que ce mâtin-là devient intéressant !

CYRANO, *faisant le bruit des vagues avec de grands gestes mystérieux.*
Houüh ! houüh !

DE GUICHE
Eh bien !

CYRANO
Vous devinez ?

DE GUICHE
Non !

CYRANO
La marée !

Edmond Rostand, *Cyrano de Bergerac*, acte III, scène 13, 1897.

EDGAR ALLAN POE, AVENTURE SANS PAREILLE D'UN CERTAIN HANS PFAALL

À Rotterdam, au XIXe siècle, un certain Hans Pfaall mène une existence misérable. Poursuivi par des créanciers, il décide de s'échapper et forme le projet audacieux de rejoindre la Lune dans un ballon fabriqué avec de vieux journaux. Un jour, sur la grande place de la Bourse, la foule abasourdie voit descendre du ciel un objet étrange, qui ressemble à un gigantesque bonnet de fou tourné à l'envers. De ce ballon, car c'en est un, descend un petit personnage tout aussi extraordinaire, très petit et très gros, qui laisse tomber aux pieds du bourgmestre de la ville une énorme lettre scellée de cire rouge...

Il est grandement temps que j'explique à Vos Excellences l'objet de mon voyage. Vos Excellences se souviennent que ma situation déplorable à Rotterdam m'avait à la longue poussé à la résolution du suicide. Ce n'était pas cependant que j'eusse un dégoût positif de la vie elle-même, mais j'étais harassé, à n'en pouvoir plus, par les misères accidentelles de ma position. Dans cette disposition d'esprit, désirant vivre encore, et cependant fatigué de la vie, le traité que je lus à l'échoppe du bouquiniste, appuyé par l'opportune découverte de mon cousin de Nantes, ouvrit une ressource à mon imagination. Je pris enfin un parti décisif. Je résolus de partir, mais de vivre, – de quitter le monde, mais de continuer mon existence ; – bref, et pour couper court aux énigmes, je résolus, sans m'inquiéter du reste, de me frayer, si je pouvais, un passage *jusqu'à la lune*. [...]
Mais il me reste à raconter mes aventures. Car, en vérité, Vos Excellences concevront facilement qu'après une résidence de cinq ans sur une planète qui, déjà profondément intéressante par elle-même, l'est doublement encore par son intime parenté,

en qualité de satellite, avec le monde habité par l'homme, je puisse entretenir avec le Collège national astronomique des correspondances secrètes d'une bien autre importance que les simples détails, si surprenants qu'ils soient, du voyage que j'ai effectué si heureusement.

Telle est, en somme, la question réelle. J'ai beaucoup, beaucoup de choses à dire, et ce serait pour moi un véritable plaisir de vous les communiquer. J'ai beaucoup à dire sur le climat de cette planète ; – sur ses étonnantes alternatives de froid et de chaud ; – sur cette clarté solaire qui dure quinze jours, implacable et brûlante, et sur cette température glaciale, plus que polaire, qui remplit l'autre quinzaine ; – sur une translation constante d'humidité qui s'opère par distillation, comme dans le vide, du point situé au-dessous du soleil jusqu'à celui qui en est le plus éloigné ; – sur la race même des habitants, sur leurs mœurs, leurs coutumes, leurs institutions politiques ; sur leur organisme particulier, leur laideur, leur privation d'oreilles, appendices superflus dans une atmosphère si étrangement modifiée ; conséquemment, sur leur ignorance de l'usage et des propriétés du langage, sur la singulière méthode de communication qui remplace la parole ; – sur l'incompréhensible rapport qui unit chaque citoyen du globe terrestre, – rapport analogue et soumis à celui qui régit également les mouvements de la planète et du satellite, et par suite duquel les existences et les destinées des habitants de l'une sont enlacées aux existences et aux destinées des habitants de l'autre ; – et par-dessus tout, s'il plaît à Vos Excellences, par-dessus tout, sur les sombres et horribles mystères relégués dans les régions de l'autre hémisphère lunaire, régions qui, grâce à la concordance presque miraculeuse de la rotation du satellite sur son axe avec sa révolution sidérale autour de la terre, n'ont jamais tourné vers nous, et, Dieu merci, ne s'exposeront jamais à la curiosité des télescopes humains.

Edgar Allan Poe, « Aventure sans pareille d'un certain Hans Pfaall », 1835, *Histoires extraordinaires*, traduction de Charles Baudelaire (1856).

Bibliographie, filmographie

Romans de Jules Verne

– *Le Tour du monde en quatre-vingts jours*, édition originale illustrée
publiée en 1873 aux éditions Hetzel dans la série *Les Voyages
extraordinaires*, consultable sur le site Gallica, la bibliothèque
numérique de la Bibliothèque Nationale de France (www.gallica.fr)
– *Vingt mille lieues sous les mers*
– *Voyage au centre de la Terre*
– *De la Terre à la Lune*
– *Les Enfants du capitaine Grant*
– *L'Île mystérieuse*
– *Michel Strogoff*
– *Mathias Sandorf*
– *Le Château des Carpathes*

Sur Jules Verne

– *Dictionnaire Jules Verne : mémoire, personnages, lieux, œuvres*,
François Angelier, éditions Pygmalion, 2006.
– *Jules Verne l'enchanteur*, Jean-Paul Dekiss, éditions du Félin, 1999.
– *Drôle de Jules Verne ! Humour, ironie et dérision dans l'œuvre
de Jules Verne*, Lionel Dupuy, éditions La Clef d'argent, 2008.
– *Le Monde selon Jules Verne*, Olivier et Patrick Poivre d'Arvor,
éditions Mengès, 2005.

Filmographie

– *Le Tour du monde en quatre-vingts jours*, Michael Anderson, 1956.
– *Le Tour du monde en quatre-vingts jours*, Frank Coraci, 2004.

Site internet

http://verne.jules.free.fr